A mis hermanos, [...],
con gratitud a Dios por tus ministerios
a través de tantos años y con gratos
recuerdos de nuestra amistad.

Tuyo en Cristo

John

27-XII-91

JUAN A. MACKAY
UN ESCOCES CON ALMA LATINA

John H. Sinclair

JUAN A. MACKAY

UN ESCOCES CON ALMA LATINA

Ediciones   CUPSA
Centro de Comunicación Cultural CUPSA, A.C.
Apartado Postal 97 Bis
06000 México, D.F. México

Libros de Juan A. Mackay publicados por Casa Unida de Publicaciones:

1. **El otro Cristo español** , II Edición, 1989
2. **Prefacio a la teología cristiana,** II Edición, 1987
3. **El orden de Dios y el desorden del hombre,**1964

La Editorial Macmillan Publishing Company autorizó la traducción y uso de porciones del libro **The Ecumenical Era in Church and Society,** 1959. También, Prentice Hall/ A Division of Simon and Schuster, Inc., autorizó la traducción y uso de porciones del libro **The Presbyterian Way of Life,** 1960 y del libro **Ecumenics: The Science of the Church Universal, 1964**.
La Sociedad Presbiteriana de Historia en Filadelfia, Pennsylvania, autorizó la traducción y uso de seis historias orales de Gerald W. Gillette con Juan A. Mackay. Grabaciones marcadas 7-XII-73; 1-II-74; 15-III-74; 21-X-75; 18-XI-75 y 20-IV-76.

Impreso y hecho en México

INDICE

**I. La formación de Juan A. Mackay
(1889-1916)**

A. Mackay: Hijo espiritual de las tierras altas de Escocia

B. Las influencias formativas del hogar y la congregación

C. Aberdeen: Los estudios en la Universidad (1907 - 1913)

D. Un sueño realizado: Estudios en el Seminario Teológico de Princeton (1913-1915) 63

E. España: Ocho meses de estudios (1915-1916)

II. La peregrinación por la América Latina

A. Lima (1916-1925)

B. Servicio con la Asociación
Cristiana de Jóvenes: Montevideo (1925-1929); Ciudad de México (1930-32)

III. Los años de servicio a la Iglesia Presbiteriana, E.U.A. (1932-1983)

A. Secretario de la Junta de Misiones para América Latina (1932-1936)

B. Princeton: Rector y profesor del Seminario Teológico de Princeton (1936-1959)

C. Juan A. Mackay: militante por la justicia y la reconciliación

D. Mackay: estadista de la Iglesia y ecumenista

Epílogo: Hombre de su época y de visión.

PRESENTACIÓN

JUAN A. MACKAY: UN ESCOCES CON ALMA LATINA

Cuando, el año pasado, John Sinclair, que a la sazón dictaba un seminario sobre Mackay en ISEDET, me preguntó cómo evaluaba yo la influencia de Mackay, contesté mas o menos espontáneamente que "fue la teología de Mackay la que, en los años 30 a 50 invitó a una generación evangélica a formular una teología bíblica de la misión de la iglesia en América Latina". Lo que quería decir es que Mackay nos ayudó a construir una nueva historia espiritual latinoamericana sin rechazar nuestras raíces culturales, y entablar 'un diálogo de amor' con nuestra cultura sin separarnos de las raíces bíblicas de nuestra fe. El libro de Sinclair me ha confirmado en esta evaluación, pero enriqueciéndola. Por un lado mostrando a Mackay como un eje de una serie de eventos, personas, movimientos que fueron conformando la formación espiritual, la perspectiva teológica y la conciencia ecuménica mía y de muchos otros que, durante los últimos cuarenta o cincuenta años, hemos intentado marchar en esta *caminhada* (como dicen tan bien los hermanos brasileños) latinoamericana.

Sinclair ha logrado transformar para nosotros a un personaje (el escritor, el *statesman* eclesiástico, el lider ecuménico) a quien conocimos un poco lejano (aun compartiendo algunas reuniones y asambleas) en persona. Y admirar ese extraño poder del Espíritu para transformar la rígida severidad de un protestantismo puritano y sectario en disciplina, la intolerancia en empeño, la piedad introvertida en apasionado compromiso con Jesucristo en el camino. Un milagro que se va consumando mediante experiencias interiores y exteriores, encuentros, viajes, lecturas, estudios. Pero que se nutre en un fuego consumidor que difícilmente se adivinaba en esos ojos claros y al parecer distantes. El autor no deja duda de su afecto y admiración por su personaje. Pero debemos agradecerle que no nos lo imponga, que nos deje encontrarnos con Mackay, ubicarlo en los distintos ámbitos geográficos y sociales en que actuó, seguir su peregrinaje espiritual y evaluar por nosotros mismos su significado.

Es precisamente porque nos pone en esta situación que el libro representa un desafío: ¿cómo releer a Mackay desde nuestra Latinoamerica actual? ¿Qué significa encontrarse con ese hombre, no desde el balcón del espectador de esa historia sino en el camino común que él anduvo y en el que nosotros andamos hoy, mas de medio siglo después? No es difícil señalar las diacronías: la visión de Mackay de la Iglesia Católica, y en particular de los jesuitas, no se sostiene a la luz de las nuevas investigaciones históricas ni se compadece con las experiencias ecuménicas. Los referentes culturales, sociológicos o historiográficos que considera autoritativos difícilmente nos convencerían hoy. El hermoso español castizo puede fácilmente impedirnos escuchar la apelación directa y aguda de sus escritos. Pero este tipo de evaluación sería ciertamente superficial y vana. Y más grave que eso, nos haría pasar de largo frente a alguien que nos pide cuentas a los cristianos en general, y a los evangélicos en particular, acerca de cómo somos testigos de Jesucristo en este lugar y tiempo. ¿Cómo? Esa es la cuestión que quisiera dejar planteada en esta presentación.

Nos llamará la atención la insistencia del autor en destacar la motivación y la impronta religiosa que Mackay llevó a todo lo que hizo. Interesado en la cultura, dolorido frente a la condición social, comprometido (mas allá de lo que la prudencia aconsejaba) en lo político, nunca dudó de dónde se hallaba el centro de su misión: la dimensión religiosa, o más precisamente, el Cristo viviente que busca encarnarse en la historia de estos pueblos latinoamericanos. Mariátegui tiene razón, dice Mackay, en criticar un protestantismo que se presentara como agente educacional o como servicio social mas bien que como fuerza religiosa. Y aplaude al autor de los "Siete ensayos sobre la realidad peruana" por tener la agudeza de percibir la problemática religiosa de su pueblo y el valor para destacarla.

Por esto hay que insistir en que la verdadera lectura contemporánea de Mackay hay que centrarla en *El otro Cristo español* (y en todo caso, en *That Other America*). ¿Quien es Cristo en America Latina? conocemos bien su tesis: el Cristo español que vino a América es el Cristo de la muerte, el crucificado impotente que sólo puede producir lástima. El otro Cristo, el Cristo vivo de los místicos, de los reformistas españoles, fue sofocado en España y no llegó a América. Quedan allá testigos, y los hay también aquí. Pero la realidad religiosa latinoamericana está signada por el Cristo de la muerte, el Cristo "que ha puesto a los hombres de acuerdo con la vida, que les ha dicho que la acepten tal como es, y las cosas, como son, y la verdad tal cual parece ser". El otro, "el que hace que los hombres no estén satisfechos... y que les dice que por medio de él la vida será transformada y el mundo será vencido... ese Cristo quería venir, pero se lo estorbaron... Mas hoy, de nuevo, se escuchan voces de primavera que anuncian su llegada".

Es fácil imaginar una apologética protestante tras esta tesis: el Cristo protestante vivo. Me parece que hay aquí en Mackay una tensión no totalmente resuelta. Su visión del catolicismo es sin duda fundamentalmente negativa (aunque rescata, individualmente, numerosas personas e intentos). Los capítulos finales de ambos libros indudablemente ven al protestantismo como una fuerza religiosa positiva. Pero hay otro Mackay profundamente ecuménico para quien la cuestión no es catolicismo/protestantismo sino el falso Cristo de la muerte/ el verdadero Cristo de la vida librando combate en el catolicismo y en el protestantismo. Y es tan ecuménico que no vacila en rodear al segundo, el Cristo de la vida, de católicos de antes y de ahora y, lo que es más significativo, de semi-herejes, rebeldes e intelectuales agnósticos (sin pretender bautizarlos) y de rescatar en el protestantismo al naciente movimiento pentecostal, a grupos y organizaciones para-eclesiásticas, a los nuevos movimientos ecuménicos entre los jóvenes.

Pero tal vez es más interesante aun su visión de esa comunidad futura del Cristo de la vida en America Latina. No se cansa de fustigar a los misioneros que quieren reproducir en estas tierras calcos de sus iglesias de origen y que "han fundado una pequeña Gran Bretaña o unos pequeños Estados Unidos". Es más, se atreve a pensar que "no hay razón por la cual el descubrimiento de Cristo en la América Latina no haya de crear una expresión institucional propia". El sueño de Mackay no es la universalización del protestantismo sino la encarnación de Cristo en América Latina. Sin duda piensa que el protestantismo aporta para ello una visión bíblica de un Cristo cuyo significado no se agota en el pesebre y la cruz y una dimensión ética inspirada en ese Cristo que supera un cristianismo formal y supersticioso. La presencia del protestantismo es concebida, en lo que creemos la línea más profunda y auténtica en Mackay, no como un reclamo sino como un servicio.

Pero esta interpretación no absuelve todos los problemas. Por lo menos, no los nuestros al momento en que los latinoamericanos --católicos, protestantes y de otros credos o de ninguno--a los quinientos años de esta ambigua historia política, social, económica, cultural y religiosa tenemos que dar cuenta de quiénes somos y qué queremos.

Si aceptamos como tema fundamental el que, a mi ver con razón, plantea Mackay, a saber quien es Jesucristo hoy en América Latina o como se encarna hoy Jesucristo en la historia y en el pueblo latinoamericano, podemos entrar en un diálogo con aquel padre y hermano en la fe en torno a varios temas, que aquí sólo quiero enunciar, como un deber de respeto a quienes nos precedieron, una señal de gratitud a Sinclair por su trabajo y una tarea que, de cara a 1492, los evangélicos no podemos eludir.

¿Interpretó Mackay adecuadamente la piedad popular latinoamericana? Una pregunta que contiene al menos otras dos. ¿Se trata meramente de un traslado del Cristo español? Cuando uno mira los rostros indios y mestizos de los Cristos de la escuela de Cuzco: ¿es simplemente la aceptación del Cristo de la muerte-torturado, desfigurado, sangrante o es a la vez la identificación con el torturado y la protesta contra el torturador? ¿No hay aquí esta rebeldía que Marx nos enseñó a ver en la religión y que, en la historia latinoamericana (contra Marx y tal vez contra la interpretación de Mackay) no se ha manifestado sólamente como aceptación pasiva sino como rebelión? Aquí interviene una segunda cuestión. La visión de Mackay de la religiosidad latinoamericana viene frecuentemente filtrada por las voces de la inteligencia, española o latinoamericana. No es que haya ignorado las manifestaciones populares, pero parece que las asume mediante las categorías de nuestra tradición ilustrada. ¿Es esa la mejor manera de entenderlas? Personalmente estoy lejos de tener clara la respuesta a esta pregunta. Pero creo que los evangélicos, que hemos tradicionalmente asumido la misma respuesta, tenemos la obligación de repensarla. Debería llamarnos la atención que aunque atenuada porque reconocemos su lenguaje bíblico frecuentemente los evangélicos ilustrados hacemos la misma interpretación negativa de nuestro protestantismo popular (una trampa en la que Mackay no cayó).

Una segunda pregunta tiene que ver con la relación evangélico/católica. El tema es demasiado complejo como para intentar siquiera esbozarlo. Pese a la tradición de rechazo que tanto por herencia confesional como por experiencia latinoamericana Mackay recibió, nuestro hermano nos da una clave de interpretación más válida que la que hemos utilizado frecuentemente: a saber, oposición a ultranza porque es diferente que nosotros o regocijo no-crítico cuando se nos parece un poco más. Mackay sugiere dos preguntas más pertinentes: ¿Qué Cristo proclama y vive? y ¿qué clase de actitud frente a la vida genera en el creyente? Claro, son preguntas que de inmediato se transforman en criterios de auto-evaluación y auto-crítica. Pero que a la vez, nos abren la posibilidad de un diálogo ecuménico más fecundo.

Finalmente, y en esta misma dirección: ¿cómo debemos entender nuestro lugar como evangélicos en la *caminhada* latinoamericana? Mackay probablemente vio al protestantismo como una fuerza de renovación religiosa a un nivel de elite. Pero, como el mismo alcanzó a percibirlo, para bien o para mal, el protestantismo es hoy una magnitud creciente en el campo religioso latinoamericano. Y esa magnitud es un complejo de tendencias teológicas y sociales, de formas y representaciones religiosas al menos tan variadas como las que hallamos en el turbulento catolicismo de nuestros días. Para tratar de entender este fenómeno tenemos hoy elementos analíticos más precisos que los que Mackay pudo utilizar. Pero para evaluarlo y para guiarnos, valen aún las preguntas que el nos dirigió: ¿cómo está presente allí el Cristo vivo del evangelio? ¿qué clase de fe, de piedad, de compromiso con el pueblo, en la vida se genera en el encuentro del hombre latinoamericano con el evangelio que enunciamos? No es una pregunta que tenga que ver sencillamente con nuestra teología o nuestro discurso sino con esa totalidad que conforma la vida de la comunidad religiosa, su inserción en la sociedad, sus actitudes en las encrucijadas de nuestra historia en que se juega la vida y el futuro de nuestros pueblos.

La lectura del libro que presentamos nos ayudará a encuadrar estas preguntas en nuestra mejor tradición evangélica misionera, magníficamente representada por Juan A. Mackay. Seguramente nos llevará también a releer sus obras. Pero sin duda la mejor respuesta consistirá en asumir con la profundidad, la honestidad, la apertura y la pasión con que Mackay lo hizo las mismas cuestiones fundamentales que el planteó.

José Míguez Bonino

Buenos Aires, mayo de 1990.

PREFACIO

Durante una temporada en la Facultad Evangélica de Teología (ISEDET), en Buenos Aires, en el otoño de 1989, tuve el privilegio de entrevistarme con varias personas que conocieron a Juan A. Mackay y apreciaron sus escritos. En estas conversaciones un líder prominente de la comunidad evangélica, ahora en sus años cincuenta me dijo:

"Sí, debo mucho a Juan A. Mackay. Yo recuerdo haber leído su libro *El sentido de la vida*, durante la adolescencia cuando estudiaba en el Liceo. Este libro fue formativo en mi desarrollo espiritual e intelectual". Continuó diciendo, "más tarde al leer *El otro Cristo español,* y otros libros de Mackay, me dí cuenta de la gran influencia que él tuvo en mi vida".

Estas conversaciones demuestran la influencia de Juan A. Mackay sobre dos generaciones de cristianos evangélicos en América Latina; y de igual manera, sobre una generación de estudiantes de teología en Princeton durante los veintitres años de su presidencia allí. Un sin número de pastores, laicos, misioneros y dirigentes de las iglesias cristianas evangélicas de las últimas décadas aprendieron de Mackay, en el sentido más cabal de la palabra, lo que significa ser "cristiano ecuménico" .(1)

Yo tenía quince años cuando conocí por primera vez al doctor Mackay en el vestíbulo de la antigua Stone Presbyterian Church en Cleveland, Ohio en 1939. El doctor Mackay, nombrado en 1936 Presidente del Seminario Teológico de Princeton, fué conferencista en una reunión sobre evangelización ante el plenario de la Asamblea General de la Iglesia Presbiteriana. Mi padre, quien era un pastor escocés también del Norte de Escocia, me presentó al doctor Mackay con estas palabras:

"Doctor Mackay, le presento a mi hijo, John. Un día él llegará a Princeton para prepararse para el ministerio cristiano". Asi fuí "predestinado" como buen hijo espiritual de Calvino. Llegué unos años más tarde con mi esposa, Maxine, a Princeton a fin de prepararme para lo que ha sido una peregrinación larga y estimulante por América Latina durante los últimos cuarenta y dos años.

Maxine y yo nos despedimos del doctor Mackay y su esposa Jane en julio de 1977 en su residencia de jubilación en Meadow Lakes, Hightstown, New Jersey donde los dos se fueron de esta vida en los años 1983 y 1987 respectivamente.

Yo tuve el privilegio de estar en contacto frecuente con el doctor Mackay durante los años de 1960 a 1973 debido a su participación como consultor a la comisión especial de la Asamblea General de la Iglesia Presbiteriana Unida sobre las relaciones entre el mundo hispanoamericano y Norte América (1966-1969), y también en la formación del Instituto Hispanoamericano de Austin, Texas (1967-69). Durante esos mismos años (1960-1973), ocupé el puesto de Secretario para América Latina en la Comisión de Misión y Relaciones Ecuménicas para América Latina, la misma responsabilidad que el doctor Mackay había tenido entre 1932 y 1936. El me prestó valiosa ayuda como amigo y mentor en aquellos años.

Durante la década de los años de 1970 nuestros contactos fueron menos frecuentes -- visitas en 1972 y 1977 en Meadow Lakes, largas conversaciones en la Biblioteca Speer y un almuerzo en la casa de su hija mayor Isobel. El doctor Mackay escribió el prólogo de los libros bibliográficos sobre el protestantismo en América Latina que publiqué en los años 1967 y 1976. Aun conservo algunas cartas personales del doctor Mackay, en particular, las que me escribió durante el año 1973 cuando dejé la Oficina Regional para América Latina para aceptar un nuevo puesto ejecutivo de la Iglesia Presbiteriana en el estado de Minnesota.

Durante la última visita en Meadow Lakes en 1977, él afirmó lo que me había escrito en dos ocasiones en cartas personales:

"John, espero terminar algún día mis memorias... y el título será: *La Mano y el Camino*. Porque cuando tenía catorce años en un campo de las montañas de mi tierra natal, Dios me asió de Su Mano y me guió por El Camino del servicio". (2)

Mackay no alcanzó a escribir su autobiografía y aun tenía cierta reserva a que otro lo hiciera estando él en vida. Yo confío que él estaría de acuerdo de que un discípulo, amigo y admirador, lo hiciera. Escribo este libro en forma tentativa y con mano trémula en el año del centenario de su nacimiento. Yo he utilizado en la preparación de esta biografía los trece libros de Mackay, los ensayos, cartas, sermones, artículos, pronunciamientos públicos y entrevistas personales con muchos de sus colegas, estudiantes y amigos. Estoy muy agradecido a Stanton Wilson por su excelente trabajo de los escritos de Mackay y a la Sociedad de Historia Presbiteriana en Filadelfia por el permiso para citar porciones de las historias orales del doctor Mackay de los años 1973 - 76. Existe en la Biblioteca Speer y en posesión de los hijos de Mackay un tesoro adicional de documentos, cartas y recuerdos de carácter personal que todavía no son de dominio público. Espero que un día se pueda escribir una biografía más completa sobre la vida y obra del doctor Mackay. Este servidor presenta este libro, no sólo para conmemorar su vida sino para poder incluir los recuerdos vivos de muchos colegas y estudiantes de Mackay antes de que salgan del escenario de la historia. Otros tendrán que escribir más tarde en forma definitiva sobre la herencia espiritual y misionera de este gigante espiritual del Siglo XX.

Muchas personas me han preguntado durante estos dos últimos años de investigación, "¿Cual fue la fuente de su teología? ¿Cómo se explica el amor de Mackay, escocés de nacimiento, por la cultura española e iberoamericana? y ¿cómo logró profundizarse tanto en la historia espiritual española?" En este libro espero responder a algunas de esas interrogantes. Estoy muy agradecido a mis estudiantes en el ISEDET de Buenos Aires por las sugerencias en base a un seminario que presenté allí en 1989 sobre "Juan A. Mackay, Miguel de Unamuno y Misión". Eran nueve estudiantes de teología, procedentes de cuatro paises sudamericanos y de cinco diferentes tradiciones protestantes. También agradezco a los participantes en el Simposio sobre el Centenario de la vida y obra de Juan A. Mackay, celebrado en el Centro Stony Point en el estado de Nueva York con motivo del 101 aniversario de su nacimiento, el 17 de mayo, 1990. La mayor parte de este grupo conoció al Doctor Mackay personalmente y por tanto, también aportaron valiosas perspectivas a este libro. A ellos y a muchos amigos y condiscípulos de Juan A. Mackay debo mi gratitud por sus reflecciones sobre diferentes partes de este libro.

JUAN A. MACKAY: UN ESCOCES CON ALMA LATINA es la historia de cómo el Espíritu de Dios realizó su obra redentora y orientadora a través de la larga y fructífera vida de un joven escocés, hijo espiritual de una pequeña y rígida denominación presbiteriana.

Este es el relato de cómo este joven místico y contemplativo llegó a ser un líder misionero de renombre mundial, y cómo dejó sus huellas en el mundo cristiano y en particular en las tierras al sur del Río Bravo. Mackay, estadista del movimiento ecuménico de este siglo, teólogo de "El Camino" y "La Frontera", fue misionero hasta las cejas. Mackay combinó en su persona al cristiano místico y al teólogo creador, al militante por la justicia social y a una persona completamente dedicada al bienestar de la iglesia institucional. La saga de *JUAN A. MACKAY: UN ESCOCES CON ALMA LATINA* es para lectura de los que se preparan para entrar en el Tercer Milenio del Cristianismo con expectativa y visión. Allí está siempre por delante el Señor de la Vida en el camino. Dos mil años después de la presencia de Jesucristo en esta tierra todavía El está delante en el Camino, animándonos para seguirle hasta la última frontera del mundo.

Tengo que confesar que la vida de mi padre, el reverendo John Peat Sinclair, quien sirvió al Señor durante cuarenta y tres años de ministerio en Escocia, el Canadá y los Estados Unidos de América fue también motivo e inspiración para escribir este libro. Mi padre era del norte de Escocia, nacido en Wick, Caithness en 1887. Yo debo a él una rica herencia de visión misionera y compromiso ecuménico. El también era ejemplo de la devoción íntima con Cristo y fue un modelo pastoral. Así, me revelo a mis lectores con toda transparencia cuando celebro en este libro la vida de Juan A. Mackay. También celebro la vida de "otro John", y también del número incontable de Juanes, Hans, Giovanis, Jeans y Johns que a través de la historia han seguido al Divino Maestro.

Dedico este libro a mi padre, John Peat Sinclair y a mi madre, Clara Anna Mill, oriunda de Glasgow, quien fue una sierva del Cristo de "El Camino" también durante su larga vida.

Estoy muy agradecido a varios amigos y colegas de muchos años por su generosidad en leer el manuscrito, prestar un ojo crítico y ofrecer varias sugerencias: W. Stanley Rycroft, Eugene L. Stockwell, Antonio Welty, Gonzalo Castillo-Cárdenas, Alan H. Hamilton, H. McKennie Goodpasture, Agustín Batlle, M. Richard Shaull, Justo L. González y Thomas S. Goslin. También

doy mis gracias al editor de la Casa Unida de Publicaciones, el
señor José Luis Velazco M., por su valiosa colaboración editorial.
Finalmente mi gratitud impagable a mi querida esposa, Maxine,
por su apoyo inagotable, estímulo y discernimiento en este empeño de amor.

John H. Sinclair

Buenos Aires, Argentina
Diciembre de 1989

(1) El adjetivo "ecuménico" utilizado por Juan A. Mackay tiene el sentido etimológico.
Oikoumene es la palabra griega que siempre tiene que seguir el substantivo "gn" o "mundo",
para connotar "el mundo habitado por personas". Mackay siempre enfatizaba que la misión de
la Iglesia es "ecuménica" y no internacional, y que está dirigida a todas las personas de cualquier
condición y raza.

2) Carta de John A. Mackay al autor, 4 de agosto de 1978.

MAPA DE ESCOCIA

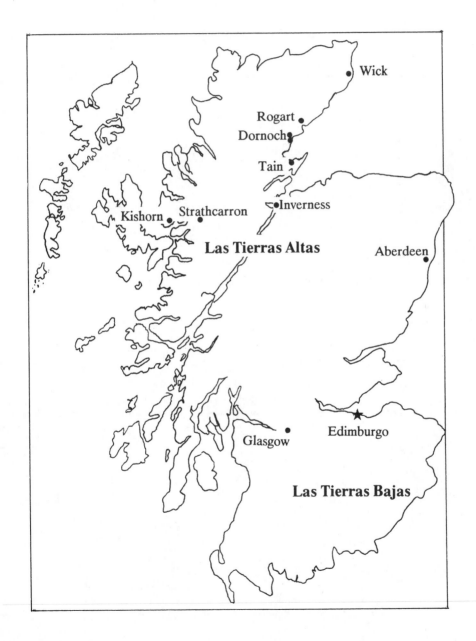

I. LA FORMACIÓN DE JUAN A. MACKAY (1889-1916)

A. JUAN A. MACKAY: HIJO ESPIRITUAL DE LAS TIERRAS ALTAS DE ESCOCIA

"Un personaje histórico sólo puede ser comprendido en todas sus dimensiones al tomarse en cuenta las realidades de su época y sus logros". *

Para comprender la mente y el alma de Juan Alejandro Mackay es preciso revivir el ambiente cultural, social y religioso en que él se formó en la última década del Siglo XIX y los primeros años del siglo presente. El fué hijo de su tiempo y heredero de su cultura celta y escocesa.

---

*Jacob Burckhart, **Reflexiones sobre la historia Universal,** en alemán, 1905; en español, 1946.

Las dos Escocias

Escocia es una nación heterogénea y políglota. Se combina en su herencia racial los *lowlanders,* los de los llanos y colinas entre Escocia e Inglaterra y los *highlanders*, o los montañeces. La parte del sur es *The Border Country* frontera con Inglaterra de Sir Walter Scott y Robert Burns. La región central es donde están situadas las grandes ciudades industriales y la agricultura. Los del sur y centro de Escocia son sajones y de habla inglesa. Son personas más prácticas y racionales que los habitantes del norte de Escocia.

En contraste, los *highlanders* o los de tierras altas son más celtas y escandinavos, más místicos y líricos. Históricamente son de habla galo, un dialecto de la lengua antigua de los celtas. Los *highlanders* ocupan la parte norte y noroeste de Escocia, y son ferozmente nacionalistas. En el norte reinaron los jefes de las tribus ancestrales en sus enclaves montañosas. Todavía en el Norte se hablan dos lenguas: la inglesa y el galo, aunque el galo ha desaparecido en las ciudades, en los campos la gente de mayor edad sigue hablando la lengua de sus antepasados.

Juan A. Mackay creció en Inverness, capital bilingue de las montañas del Norte de Escocia. El ambiente cultural fue escocés y celta.

El trasfondo religioso - espiritual

La Iglesia Cristiana en el norte de Escocia tiene raíces en la obra misionera de San Columba (563 d.C.) Uno de los lugares de veraneo preferido del joven Mackay fue el pueblo de Dornoch donde se dice que Columba predicó por primera vez el Evangelio en el norte de Escocia. San Columba evangelizaba en el Valle del Río Ness, cerca de Inverness. Se cuenta de cómo Columba anunció el Evangelio al Rey Bruce quien se convirtió después de que el chamán de los druidas desafió a Columba a que bebiera agua de un pozo que se creía ser venenoso y se lavara en sus aguas. Al no morir Columba, el Rey aceptó el mensaje del misionero. También Columba mandó a un ayudante que nadara en las aguas del lago Ness donde se creía que el lago estaba dominado por un monstruo terrible. (La bestia acuática era el monstruo "Nessie" de la literatura turística del día de hoy). La Iglesia entre los celtas fue el producto de arduos esfuerzos misioneros. El joven Mackay bebió de estas fuentes de la tradición cristiana primitiva con todo el romance y leyenda como joven de las tierras altas.

El Cristianismo en Escocia antes de la Reforma

Entre los años 794 y 986 los invasores de Noruega ocuparon todo el Norte de Escocia y las Islas. Retuvieron algo de su influencia pagana y de la herencia cristiana de los santos Columba y Ninian. El cristianismo de la Edad Media apenas sobrevivió las invasiones nórdicas. De modo que Escocia, antes de la Reforma fue un país atrasado en todo sentido, religiosamente, culturalmente y económicamente. También Escocia fué despedazada por controversias y luchas internas en las cuales la nobleza y los obispos de la Iglesia fueron los responsables.

La monarquía escocesa fue débil. La Iglesia, dueña de la mitad de la tierra del reinado, fue notoriamente corrupta. Asi las cosas y para sobrevivir políticamente, bajo las amenazas constantes de la agresión inglesa, Escocia buscó el apoyo de la monarquía francesa.

La Reforma se retrasó en Escocia en la primera mitad del Siglo XVI en comparación con los sucesos dramáticos en el Continente. El primer mártir del protestantismo escocés fue Patricio Hamilton, quemado en 1528 por el Arzobispo James Beaton en St. Andrew's. El protestantismo en Escocia creció lentamente hasta la llegada de su forjador, John Knox, en el año 1560.

La lucha de la Iglesia Reformada en
Escocia por su autonomía

Los protestantes escoceses tuvieron que luchar contra la Iglesia de Inglaterra por un lado y la Iglesia Católica Romana, por el otro. Los católicos romanos mandaron frailes disfrasados de sirvientes, médicos, comerciantes y navegantes para convertir a los galos del Norte. Incluso en Roma se estableció un centro de capacitación para la misión con el fin de recobrar a Escocia de los protestantes. En 1628 se informó a Roma que en las Islas Hebrides habían unos 10,269 convertidos.

Posteriormente, bajo el régimen de Carlos I de Inglaterra, hubo un intento para imponer un nuevo sistema de dominio eclesiástico por parte de la Iglesia Anglicana. Esta preparó un nuevo libro del Culto Común y una nueva liturgia que iba a ser presentada en un acto ceremonial en la Gran Catedral de St. Giles en Edimburgo el 16 de julio de 1637, pero la reacción fue muy violenta a esta imposición. En el norte en Fortrose unos alumnos del colégio entraron en la iglesia antes de iniciar el culto y tomaron todos los ejemplares del libro de Culto Común y los llevaron a Chanonry Point donde destruyeron los libros y los arrojaron al mar. El joven Mackay supo de esta aventura de los alumnos de Fortrose cuando estudiaba en la Academia Real de Inverness en los años 1903 - 1907. Así, casi desde sus inicios la Iglesia Reformada de Escocia tuvo una larga historia de lucha contra la imposición de una liturgia inglesa y el sistema de dominación anglicana.

El despertar espiritual de 1796-1843 y la evangelización de los galos de las Tierras Altas y de Las Islas (1)

La Iglesia tuvo que enfrentar dos problemas en cuanto a la evangelización de las Tierras Altas y de las Islas: uno era lingüístico-educativo y el otro era, político-eclesiástico. Muchos de los de habla galo no tenían acceso a la literatura de la Reforma porque había muchos analfabetos y se carecía de la palabra impresa en la lengua vernacular. Además hubo mucha controversia y divisionismo en las Tierras Altas durante el siglo XVII. Los galos eran rebeldes a la autoridad central que se les impuso después de la batalla de Culloden cuando las tribus de las montañas perdieron su autonomía política. Antes de Culloden sus jefes tenían poderes casi dictatoriales sobre sus subditos. Su caída del poder abrió paso a la liberación política y cultural de los de habla galo y también dio lugar a la educación popular entre ellos. Los galos eran "los marginados" de un sistema educativo inglés y de una política eclesiástica legalista. También las Tierras Altas y las Islas habían sido el sector más romanizado en Escocia después de la Reforma.

Entre 1796 y 1843 hubo un despertar dentro de la Iglesia de Escocia. Uno de los resultados de este avivamiento profundo, fue una preocupación por la evangelización de los de habla galo de las Tierras Altas y Las Islas. Varias sociedades misioneras y educativas fueron formadas. Una fue la Sociedad de Edimburgo para Escuelas Galas, organizada en 1811. La Sociedad preparó y mandó a maestros para enseñar sólo en el galo. Se llenaron los colegios y en el año 1825 tenía 77 escuelas y 4,300 alumnos. La Biblia completa en galo fue publicada en 1826. Otras sociedades pensaron en la necesidad de preparar a los niños en el inglés y el galo, de modo que se organizaron otros colegios por estas otras sociedades de Glasgow e Inverness.

Las sociedades misioneras fueron parte del movimiento de renovación en la Iglesia de Escocia que culminó en el año 1843 bajo el liderazgo de Thomas Chalmers en la formación de la Iglesia Libre de Escocia. Cuatrocientos setenta y cuatro pastores de la Iglesia de Escocia salieron de la Asamblea General cuando hubo el famoso "Acto de la Separación". Entre estos pastores disidentes ciento uno fueron de las Tierras Altas y de las Islas, mayormente de habla galo. Este acto de "rompimiento" quedó en la historia presbiteriana escocesa como el hecho más importante de su historia después de la Reforma de 1560.

Al firmar el acto de "La Separación" los pastores renunciaron a sus sueldos anuales que representaban un valor de más 100,000 libras esterlinas al año. Al renunciar la ayuda del Estado, estos pastores pasaron a depender totalmente de las ofrendas de los fieles para su manutención.

Juan A. Mackay, en su libro *El orden de Dios y el desorden del hombre* reflexionó sobre el papel de Thomas Chalmers, el dirigente de la Gran Separación de la siguiente manera: "La suerte de Chalmers fue vivir durante uno de los períodos más críticos y más creativos de la historia de la Iglesia Escocesa. El Estado había tratado de coartar a la Iglesia su libertad espiritual, insistiendo en que los patrones locales tuvieran el derecho de nombrar a los pastores de las parroquias..." Chalmers preparó a la Iglesia para una nueva etapa de la democracia y para la participación laica.

"...Chalmers puso en alto relieve la inherente importancia de la iglesia y su servicio para con los 'hombres de Cristo'. No todos debían ser ministros de tiempo completo, en el sentido profesional, pero todos debían ser hijos e hijas devotos. La gran Madre (i.e la iglesia), les iba a proveer la inspiración y la fuerza que necesitaban para su llamado secular. Este llamado secular les proporcionaría los recursos que la Iglesia necesitaría para cumplir su misión".(2)

Dentro del contexto de una nueva participación de la gente de habla galo en la Iglesia de Escocia, la renovación que surgió de la Separación del año 1843 y del movimiento laico, libre del dominio del Estado, nacieron varios movimientos disidentes dentro de la Iglesia de Escocia. En el año 1893, un grupo separatista, llamado "La Iglesia Presbiteriana Libre de Escocia" se formó en el Norte del país dirigido por dos pastores y diez presbiterios. Ellos se separaron de la Iglesia Libre de Escocia. Este grupo afirmaba en su acta de separación que ellos eran la iglesia verdadera de Jesucristo, y que debían cantar solamente los salmos y rechazar los actos anti-bíblicos de la Iglesia Libre de Escocia.(3) El padre de Juan A. Mackay fue presbítero de esta nueva denominación en Inverness. Dentro de este grupo disidente, nacido de un movimiento de renovación de las iglesias mayormente de habla galo, empezó la formación espiritual de Juan A. Mackay desde su tierna edad. Veremos en el transcurso de su formación espiritual y cultural durante los primeros veinticuatro años de su vida la lucha personal que él tuvo para ser fiel a la Palabra de Dios y también a la Iglesia Presbiteriana Libre donde había nacido.

La conexión Escocesa-Latinoamericana

Para comprender la otra parte de la formación de Juan A. Mackay, como misionero escocés en América Latina, tenemos que ver los vínculos entre Escocia y ese continente.

¿Cómo llegó el pueblo escocés a tener interés por América Latina? ¿Cuales fueron los eslabones históricos que unieron a aquella pequeña parte nórdica de la Gran Bretaña con la inmensa expansión de tierra al sur del Río Bravo?

Se dice que los escoceses son vagabundos y errantes por el mundo. Ningún pueblo en Escocia se encuentra más allá de ochenta kilómetros del mar. No es de extrañar entonces, que los paises pequeños, como Escocia, siempre enviaran a muchos emigrantes a diferentes partes del mundo. Escocia todavía se jacta de tener algunos de los mejores puertos del mundo y también algunos de los astilleros más conocidos. La industria pesquera produjo generaciones de pescadores y navegantes en el Siglo XIX. Los vientos del mar siempre atrajeron al escocés a cruzar los océanos. Ciertos puertos en otros continentes habían sido visitados por los parientes de las familias de emigrantes antes de su salida para tierras lejanas. Miles de familias habían dejado su tierra natal para radicarse lejos de los campos de bermejuela y escoba amarilla. Se fueron a vivir a lugares tan distantes como la Tierra del Fuego en Sudamérica y Nueva Zelanda. Emigraron también al oeste del Canadá y al Sur de Africa.

¿Por qué tantos escoceses buscaron su fortuna tan lejos de su tierra? Escocia era una patria rica en cultura pero pobre en recursos para sostener su población. Así que emigraron a los rincones más apartados del mundo buscando una vida más cómoda y un mejor porvenir para sus hijos. Entre los emigrantes del Siglo XIX a América Latina se encontraban escoceses mercenarios en Colombia, agricultores en Patagonia, ingenieros en México, comerciantes en el Río de la Plata y técnicos de minas en Chile.

El sistema de educación técnica de Escocia del Siglo XIX ya había abierto paso a muchos jóvenes en las carreras de ingeniería y servicios técnicos. El continente latinoamericano, un mundo en desarrollo, requería constructores de puentes, puertos, ferrocarriles, minas y fábricas. Muchos jóvenes escoceses de recursos modestos y sin prestigio de rango pero con títulos universitarios, incapaces de puestos en el cuerpo diplomático y en el mundo de finanzas, alcanzaron puestos técnicos como empleados de comercio en las compañías inglesas en Argentina, Chile, Bolivia y el Perú. De modo que Mackay se formó en un período de la historia de Escocia cuando había interés por la emigración hacia un futuro mejor.

En ese tiempo, Escocia no era una isla separada de las corrientes mundiales. Asi que, el llamado misionero al joven Mackay y a su novia Jane Logan Wells les llegó en el contexto de una nación conocedora de las realidades del mundo y de la América Latina en desarrollo y fermento.

Muchas familias de Inverness, de Edimburgo, de Glasgow, de Aberdeen y de Perth y aún pequeñas aldeas de Escocia tenían sus parientes y amigos regados por el mundo. Entre estas familias se encontraba la familia de la esposa de Duncan Mackay de Inverness.

Algunos parientes de la madre de Juan A. Mackay también emigraron a la Tierra del Fuego en el año de 1894. Mackay cuenta que a los cinco años de edad un pariente le invitó en broma a que le acompañara a la Tierra del Fuego. Tomó la invitación tan en serio que se sintió muy decepcionado cuando se dió cuenta que se trataba de una broma.

El hermano menor de Juan, Duncan, se embarcó en el año 1912 cuando sólo tenía diesciseis años para unirse con sus parientes en aquella tierra lejana. Juan estuvo con su padre en el muelle de Liverpool el día de la partida de su hermano menor, Duncan. (I,5) *

Misioneros escoceses y América Latina

Juan A. Mackay se nutrió en el ambiente evangélico de su iglesia con los relatos de los misioneros pioneros en diferentes partes del mundo: Livingstone en Africa, Alexander Duff en la India, Mary Slessor en Calabar, el médico Robert Kalley en Portugal y Brazil y James Thomson, el primer agente de la Sociedad Bíblica Británica en Sudamérica. Los jóvenes escoceses de los años 1890-1910 ya tenían sus héroes y heroínas, elogiados en biografías escritas y en plena circulación en las congregaciones. Mis propios padres se formaron en una congregación bautista de Glasgow durante los años 1899 y 1910. Ellos me contaron del fervor misionero del pueblo cristiano escocés. Un domingo especial para celebrar a David Livingstone fue observado en las ccongregaciones de muchas denominaciones en Escocia y en el año 1900 mis padres firmaron la declaración de intención para llegar a servir como misioneros. Este domingo especial en todo el país fue el día señalado para reclutar jóvenes escoceses para el servicio misionero. Mis padres me contaron también de un gran mapa del mundo que colgaba detrás del púlpito en la capilla en Glasgow donde asistían como jóvenes. Se puede decir que los cristianos escoceses se sentían parte del mundo, no solamente debido a la emigración de sus parientes, sino también por el fervor misionero de sus congregaciones.

Por eso no era de extrañar que la primera Conferencia Mundial Misionera se celebrara en el año 1910 en Edimburgo, capital

---

* Esta enumeración que aparece de aquí en adelante en varios párrafos, se refiere a las seis historias orales de Juan A. Mackay grabadas por Gerald Gillette entre 1973 y 1977.

de Escocia. Juan A. Mackay fue estudiante universitario en Aberdeen en ese año y escuchó a uno de los oradores más destacados de la conferencia, Robert E. Speer, cuando Speer visitó a la Universidad de Aberdeen después de la conferencia. Speer impresionó al joven Mackay de tal manera que éste escribió años más tarde: "Robert E. Speer fue la persona que más me impresionó en toda mi vida".

Unos pocos meses antes de la conferencia de Edimburgo, Speer había hecho un viaje de seis meses por toda la América del Sur. El habló en Aberdeen a los estudiantes escoceses de la urgente necesidad de fortalecer la pequeña comunidad evangélica en América Latina. Mackay mismo y con la influencia de su novia, Jane Logan, ya tenía mucho interés en la obra misionera en el Perú; también fue muy estimulado por la sociedad misionera denominada Sociedad Misionera de las Regiones de Ultramar que contaba con varios misioneros bautistas. A pesar de que la Iglesia tradicional de Escocia todavía no había respondido al llamado misionero de América Latina, la Iglesia Libre de Escocia estaba contemplando ya su primera misión en el Perú. Juan A. Mackay fue comisionado en el año 1915 para hacer un viaje exploratorio por Sudamérica a fin de definir más claramente la dimensión de esta nueva misión. En el año de 1916 él y su esposa se embarcaron para establecer la misión en el Perú.

"La conexión Escocia-Latinoamerica" ya estaba forjando un nuevo eslabón en la persona y visión del joven pastor presbiteriano escocés, Juan A.Mackay y su esposa, Jane.

Ahora volvamos a considerar las influencias formativas del hogar y de la congregación en que se formó la personalidad, la espiritualidad y la visión de servicio cristiano de Mackay.

B. LAS INFLUENCIAS FORMATIVAS DEL HOGAR Y LA CONGREGACION

Mackay solía decir que cuando todo se ha dicho y hecho, el perfil de la vida tiene mucho que ver con las experiencias de la juventud.(4) Al contemplar su larga vida de 94 años se ve en aquel mosaico de su vida los colores y los reflejos de la familia, la formación devocional y la influencia de pastores y amigos de la congregación y sobre todo el ambiente cultural y religioso del Norte de Escocia.

La familia Mackay

El nombre "Mackay" es de la tribu ("clan") cuyo emblema es una espada en alto con las palabras MANU FORTE embosado debajo de la espada. Se dice que en su orígen el nombre "Mackay" quiere decir "hijo de antorcha encendida". Algunos de los antepasados de los Mackay habían sido reclutados como mercenarios para pelear en Bohemia, Dinamarca y Holanda en los Siglos XVI y XVII. El distintivo ancestral o "tartan" es de color azul, gris y marrón. (I,5)

Mackay era celta y galo por parte de su padre, Duncan Mackay y de su madre, Isabelle MacGregor. Duncan Mackay era de Kishorn, cerca de Loch Carron, pueblo pintoresco de la costa occidental. Isabelle MacGregor fue hija de MacDonald por parte de su madre. Ella se crió en una granja cerca de Kishorn llamada "Strathcarron". Las visitas a los abuelos en esos pueblos fueron recuerdos inolvidables de la niñez y juventud de Juan A. Mackay. (I,4-5)

Juan A. Mackay nació el 17 de mayo de 1889 en Inverness. El solía decir que no tenía ni gota de sangre anglosajona en sus venas porque era celta de los celtas.

Esta raza del Norte de Escocia es de la misma raza de los galos, los irlandeses, de algunos de los franceses y de los españoles del Noroeste de España. Los celtas de Escocia nunca fueron dueños absolutos de su propia tierra, por eso tenían que luchar para no ser absorbidos por los anglosajones. Mackay siempre se refería al nexo racial entre los celtas puros del Norte de Escocia y los españoles del Norte de España. Para Mackay el celta fue el eslabón entre el mundo anglosajón y el mundo hispano, un vínculo que él mismo encarnó en su persona y vocación. Tampoco se le olvidó que las dos razas tenían también el mismo instrumento "sagrado" - la gaita. Mackay decía que el celta es de carácter imaginativo y emotivo con la inclinación de pensar en formas de imágenes. Decía que "uno tiene que hallar la imágen indicada que dejará caer luz sobre lo que puede ser descubierto."

Su padre, Duncan Mackay, nació en un hogar de habla galo, pero cuando la familia se trasladó a Inverness dejó de hablar el idioma. Por eso Mackay dijo que a pesar de haber escuchado el galo en los cultos durante su niñez y en las casas de los parientes, nunca habló el idioma de sus antepasados. (1,4-5)

La familia Mackay estaba conformada por los padres y cinco hijos: Juan, Ella, Nellie, Duncan y William. Juan fue el Mayor. "Willie" nació diecinueve años después que Juan y fue el menor. La hermana Ella llegó a ser enfermera titulada y se radicó en Inverness, Nellie se casó con Alexander Fraser y también vivió en Inverness. Duncan fue a la Patagonia como agricultor y comerciante. William se preparó como pastor de la Iglesia Libre de Escocia y vive en Inverness jubilado. Fue capellán de hospital antes de jubilarse y en una ocasión Moderador de la Iglesia Libre de Escocia. (I,5-6)

El padre tenía una sastrería y un almacén de ropa para hombres en Inverness. En una época llegó a tener hasta catorce empleados. En aquellos tiempos los hombres usaban sus trajes hechos a la medida. Duncan Mackay fue presbítero de las congregación en Inverness de la Iglesia Presbiteriana Libre.(5) Se esforzó para que su familia fuera una familia ejemplar de la congregación y de la comunidad. En el hogar siempre hubo una buena biblioteca. Duncan compró libros pensando en cultivar la vida religiosa de sus hijos. Por eso Juan encontró en la biblioteca de su familia libros de Samuel Rutherford, Alexander Duff, David Brainard y Jonathan Edwards. Particularmente *El progreso del peregrino* por John Bunyan en la edición ilustrada le impresionó mucho durante los años adolescentes. (I,6-7,9)

Inverness se llama "la capital de las Tierras Altas". Es la puerta a la región montañosa del Norte de Escocia. Nunca fue una ciudad mayor de 30,000 habitantes. El canal de Caledonia que pasa por Inverness sobre el Rio Ness permite que los grandes buques puedan pasar del este al oeste de Escocia. También es el lazo importante para el transporte de ferrocarriles. Cerca de Inverness está una de las cumbres más conocidas de Escocia, Ben Wyvis. Un castillo que domina la ciudad fue construido por Oliver Cromwell durante su ocupación de la ciudad en el Siglo XVII con el fin de sofocar la rebelión de los montañeces. Se dice que la gente de Inverness habla un inglés "clásico" y no el inglés con acento bien marcado del Norte de Escocia. Esto es quizás el resultado cultural de la ocupación de Inverness por Cromwell por tantos años. A ocho kilometros de Inverness se encuentra el campo de batalla de Culloden donde en el año 1746 se peleó la última batalla para la independencia escocesa. Allí "Bonnie Prince Charlie", quien quiso hacerse rey de Escocia perdió la última oportunidad de afirmar la autonomía nacional de Escocia.

La niñez de Juan A. Mackay fue feliz y nutrida en un ambiente hogareño de amor. El cuenta acerca de su costumbre de andar sólo por las calles como niño. Un día fue invitado por un camionero a acompañarle en sus repartos domiciliarios. Juan montó en el banco trasero del vagón y pasó horas sin darse cuenta del tiempo. Cuando llegó a casa, su madre le castigó corporalmente. Dice Mackay "ella me quitó los pantalones y me dió fuerte". El dijo que fue la primera y última vez en su vida que fuera disciplinado por su padres. (I,6)

Mackay habla de que fue joven solitario, no tanto por egoismo sino porque por reglas estrictas de la familia él tenia que iniciar sus propias actividades.

"Mi padre me tenía bajo su vigilancia" dice Mackay. "Aún los deportes se veían con cierta suspicacia, pero Juan jugaba futbol dentro de las horas de escuela a pesar de las admoniciones de sus padres. Durante los años en Princeton se le vió jugando futbol con su nieto con el mismo gozo, urgencia y vigor que mostraba para cualquier tarea que emprendía. Juan nunca gozó del compañerismo íntimo de sus condiscípulos. Dice en sus memorias, "gran parte de mi vida fue solitaria. Yo tenía que tomar la iniciativa en mis actividades, pues gozaba de muy poco compañerismo con los de mi propia edad". Su padre le compró una bicicleta y ésta llegó a ser una de las mejores distracciones de su niñez. Su padre procuraba protegerle de las influencias juveniles del vecindario y de la escuela. Le fue prohibido también el baile y asistir al teatro. (I,9-10)

La vida devocional de la familia y de la congregación

La familia Mackay adoraba en la Iglesia Presbiteriana Libre de Inverness. Esta denominación pequeña, fue el resultado de un cisma dentro de la Iglesia Libre de Escocia. Un punto principal para la separación de la denominacion original fue el canto de los Salmos en los cultos. Las congregaciones de la Iglesia Presbiteriana Libre fueron llamados *The wee frees*, o "los pequeñitos" para diferenciarlas de las congregaciones de la Iglesia Libre de Escocia, establecida en el añor 1843 en "La Gran Separación" de la Iglesia de Escocia. La Iglesia Presbiteriana Libre se consideraba a sí misma la iglesia verdadera y por eso rehusó relacionarse con cualquiera otra denominación. Mackay recuerda el comentario de una persona de su denominación que dijo "Cuando venga el milenio, la Iglesia Presbiteriana Libre será reconocida como la única iglesia verdadera". (I,7) (5)

La familia acostumbraba celebrar cultos familiares dos veces al día, en la mañana y en la noche. Unicamente el padre dirigía los cultos familiares hasta que Juan llegó a ser miembro en plena comunión de la Iglesia a los diesciseis años de edad. Fue entonces que el padre le pidió que colaborara en la dirección del culto. Duncan Mackay leía la Biblia y toda la familia se arrodillaba para orar. Siempre se acostumbraba la oración antes y después de las comidas. (I,8)

Todos los domingos la familia asistía a los tres cultos en la capilla; dos en el idioma galo y uno en inglés. Ninguna persona de la congregación trabajaba los domingos. Su padre se afeitaba el sábado antes de media-noche y su madre preparaba la mayor parte de las comidas los sábados para el domingo. (I,8)

Los cultos dominicales se celebraban a las once de la mañana, a las dos de la tarde y a las seis y media de la noche. Cada culto duraba una hora y media: treinta minutos para cantar los Salmos y una hora para las lecturas bíblicas y la predicación. La familia Mackay regularmente se quedaba en la casa de una familia cercana a la capilla entre los cultos diurnos para no tener que caminar una media hora a su casa. La familia por convicciones religiosas, no usaba el transporte público los domingos. (I,8)

Juan pasaba las vacaciones en el pueblecito de Kishorn situado en un valle cerca del mar donde estaba la casa de los abuelos paternales. Se gozaba de andar por las colinas y salir a pescar en un bote de remo.

Mackay contaba al autor de su experiencia cuando el pescaba como joven en un lago cerca de Kishorn y cómo los pescadores le enseñaron en dónde se podían hallar los peces más abundantes, fijando la mirada en ciertas señales en el horizonte. Le dijeron que trazara una línea visual entre cierta casa de una hacienda en una colina de la playa en una dirección y una cascada con una corriente que se veía arriba de una peña grande en la otra dirección. Así el joven Mackay se dirigía temprano de mañana en un bote de remo a las aguas profundas del lago. Solía pararse precisamente en el punto donde los pescadores le habían indicado y allí dejaba caer el anzuelo. Así se dejaba guiar por la orientación tras él para luego llegar a su destino. Esas marcas en la lejanía distante en la playa le llevaron al lugar deseado. Así muchas veces en la vida, decía Mackay, uno llega al destino guiado por hitos históricos dejados atrás. (6)

En esta experiencia de su juventud, se refleja la sensibilidad de Mackay a ciertas convicciones espirituales que dejaron marcas indelebles para toda la vida. Mackay nunca renunció a su trasfondo de piedad personal ni al impacto de los Salmos sobre su vida. Dijo en el año 1975 a los ochenta y cinco años de edad que siempre leyó por lo menos un Salmo todos los días de su vida.

Despertar espiritual y Conversión

Mackay cuenta en varios de sus libros y sermones de la experiencia de su conversión a la edad de catorce años. Esta experiencia la contaba como parte integral de su teología del encuentro con el Dios vivo y el camino de la vida. No lo relata para gloriarse de esos momentos tan íntimos de su vida, sino para mostrar que para él no había momento más sublime y para el cristiano en general que el momento en que el ser humano se encuentra cara a cara con su Creador. En el año de 1973 y a los ochenta y tres años de edad él vuelve a relatar la experiencia de su conversión en una entrevista con Gerald Gillette:

"Esto es lo que yo llamo la imposición de La Mano de Dios sobre mi vida. Yo tenía catorce años de edad cuando me sentí asido por Dios durante una temporada del verano en Dornoch en Sutherlandshire... Por varias semanas en la primavera del año 1903, un joven de Dornoch había vivido en nuestra casa en Inverness para recibir atención médica en la ciudad. El se integró como miembro de nuestra familia. Sus padres se sintieron tan agradecidos que pidieron que mi madre y yo pasáramos una temporada en su casa en Dornoch. Nuestra visita allí coincidió con el primer día de los cultos tradicionales de la Santa Cena de las congregaciones de las montañas. Era costumbre celebrar la Comunión solamente una vez al año con cultos especiales de cinco días. En algunas congregaciones la celebraban dos veces al año.

"Estos cultos se llevaban a cabo y por costumbre al aire libre. El ministro predicaba desde un púlpito rústico, tradicionalmente llamado la tienda de campaña, con algunos centenares de gente sentados en las bancas o sobre el suelo, bajo los árboles grandes del vallecito. La gente llegaba de diferentes congregaciones.

"Conocí a personas que pasaban un mes entero durante las vacaciones yendo de uno a otro culto de Santa Cena. Esto fue ventajoso para ellos porque gozaron de la hospitalidad de los hogares de los miembros de las congregaciones. Así fue el caso en nuestro hogar en Inverness porque durante la temporada de la Santa Cena literalmente nuestra casa se llenaba de visitas que venían de las tierras altas.

"El día de preparación era el jueves. Todos los comercios del pueblo cerraban sus puertas. Se consideraba día Santo. El viérnes se dedicaba a la predicación de los laicos sobre las verdades cristianas y particularmente sobre cómo llegar a ser cristiano. El sábado era el día del culto de preparación para el domingo. Los cultos de domingo se celebraban varias veces entre las once de la mañana y las cinco de la tarde, de acuerdo con el número de los comulgantes. La gente llegaba a la mesa por grupos, y cuando se sentaban, los presbíteros pasaban el caliz común después de tomar el pan. Se usaba el vino y no el jugo de uva. En vez de alargar la mesa para aumentar el número de asientos, se limitaban los asientos disponibles y así la gente llegaba a la mesa por grupos.

"Mi madre y yo ibamos a la Iglesia de Rogart. Las reuniones se celebraban sobre la falda de una colina cerca de la iglesia porque no había suficiente espacio en la capilla para recibir tanta gente. Fué en el culto del sábado en aquella loma que sucedió la experiencia más grande de mi vida. Durante la noche antes del culto de comunión, me sentí agobiado de mi propia necesidad de

Dios, y repetía 'iSeñor, ayúdame! iSeñor, ayúdame!' Fue así, en aquél lugar de Rogart que oí a Dios hablarme durante el culto. Parecía oir las palabras: Tú también serás predicador y tú ocuparás aquel púlpito.

"De modo que después del culto de preparación y antes de la Comunión del domingo fuí caminando por una senda escarpada de las montañas lleno de extasis. Hablaba con Dios, mirando a las estrellas. De repente Dios se hizo presente en mi vida... de veras yo descubrí una misión en la vida. Me encontré en otro mundo y me relacionaba con lo Divino". (I,10-12)

En el libro *El orden de Dios y el desorden del hombre* esta experiencia de su juventud la relata con las palabras siguientes:

"¿Qué me había pasado? Todo resultaba nuevo. Algo se había indicado a mi alma. Ahora tenía una nueva perspectiva, con una nueva experiencia, y con una nueva actitud para con la demás gente. Ahora amaba a Dios. Jesucristo se me tornaba el centro de todo lo posible ...Mi vida comenzó a deleitarse con la música del pasaje aquél que comienza con su frase: 'Y de ella recibisteis vosotros que estabais muertos en vuestros delitos y pecados' (Efesios 2:1). A mí se me había vivificado; ahora estaba vivo en realidad. (7)

"Cuando regresé más tarde a un lugar cerca de Dornoch, me gustaba pescar la trucha en un arroyo. Eso era mi deporte predilecto. A veces dejaba caer la caña de pescar sobre la orilla, con el anzuelo en el agua, y leía de un pequeño Nuevo Testamento que todavía guardo entre mis tesoros personales. La carta de San Pablo a los Efesios llegó a ser especialmente querida y llena de significado para mí. Yo había llegado a ser una nueva criatura". (I,12-13)

Cuatro años más tarde cuando Mackay era estudiante en la Universidad de Aberdeen volvió a escribir sobre aquel versículo en su diario. El confió a este autor, en más de una ocasión, en conversación y en cartas personales que un día cuando escribiera su autobiografía el tema sería "La Mano y el Camino". Fue en

Rogart donde Juan A. Mackay se sintío protegido y asido por La Mano Divina y esa Mano le llevó al camino de servicio cristiano. También hablaba del versículo clave en su vida, el Salmo 31, versículo 15: "Tu eres mi Dios, en tu Mano están mis tiempos".

Mackay continuó relatando su vida después de aquél verano memorable en Dornoch y Rogart con estas palabras:

"Cuando regresé a Inverness después del aquel verano, un cambio total se manifestó en mi vida. Siempre fuí un lector voraz, pero ahora el libro *El conde de Montecristo* de Dumas ya no me llamó más la atención. Lo dejé de leer y empecé a leer los libros de Samuel Rutherford, (8) héroe de la fe reformada en Escocia y del joven teólogo Robert Murray MacCheyne quien murió a los veintisiete años de edad. Estos autores escribieron sobre su relación personal con Dios y de un Dios con quien se podía conversar y caminar. Mis padres notaron el cambio en mi vida. Yo observaba todos los días los momentos devocionales personales. Empecé a visitar a las ancianas y en particular a una anciana ciega para oirle contar de sus experiencias. En otras palabras, me sentí como viviendo en un mundo nuevo. Asistí a los cultos de oración los días miércoles en la iglesia. Sentí el deseo de participar en la Comunión pero hubo oposición en la congregación a que un joven de 14 años fuera admitido como miembro en plena comunión. Me rehusaron la petición tres veces por ser tan joven y por falta de madurez. Pero al fin a la edad de diesciseis años fuí recibido como miembro comulgante de la Iglesia Presbiteriana Libre." (I,13)

La Academia Real de Inverness

Juan A. Mackay recibió una beca para estudiar en la Academia Real de Inverness, una institución prestigiosa de educación secundaria. Este liceo fue establecido antes de la Reforma del Siglo XVI. El director era un hombre de formación en los clásicos y había sido profesor en la Universidad de Edimburgo. "El tutor de inglés", dice Mackay, "fue uno de los más notables que jamás tuve. El me presentó en forma fascinante la literatura inglesa, en particular a Browning y otros". (I,15)

Dos de los compañeros de clase eran jóvenes destinados más tarde para ser líderes en el campo teológico: John Baillie y Donald Baillie. Mackay recuerda las reuniones de discusión los viérnes por la noche, presididas por John Baillie. En aquellas reuniones se trataba la literatura y cualquier otro tema. Baillie recuerda a Mackay "como el nuevo compañero de las montañas que llegó a nuestro liceo... muy modesto y tranquilo". (9) El joven Mackay ganó varios premios y libros durante los cuatro años (1903 a 1907) en la Academia Real.

En los años de su juventud Mackay se gozaba en caminar. En una ocasión se fué a las diez de la noche con un compañero para subir una montaña a fin de contemplar el amanecer desde la cumbre. En otras ocasiones caminaba al campo histórico de la batalla de Culloden a ocho kilometros de Inverness. (I,17)

Mackay tuvo un amigo, mayor de edad y muy querido, llamado Tom Cameron que había conocido Rogart, Dornoch e Inverness. Tom iba también a prepararse para el pastorado. Tom Cameron y Juan Mackay se fueron juntos en septiembre del año 1907 a Glasgow para estudiar griego y hebreo como candidatos para el pastorado de la Iglesia Presbiteriana Libre. (I,18)

NOTAS SOBRE EL TEXTO

1. Véase Mackay, John, (no Juan A. Mackay) *The Church in the Highlands; the Progress of Evangelical Religion in Gaelic Scotland*, 563-1843; pp115-118, 126-127, 163-171, 175-219, Hodder and Stoughton, Londres, 1914.

2. Véase los comentarios de John A. Mackay sobre el papel de Thomas Chalmers en la creación de la Iglesia Libre de Escocia en *El orden de Dios y el desorden del hombre*, Casa Unida de Publicaciones, 137-140.

3. Véase *The History of the Free Presbyterian Church of Scotland: 1893-1933*, redactada por un comité del Sínodo.

4. Véase John A. Mackay, *Heritage and Destiny*, 12.

5. Véase Janet Harbison, "John Mackay of Princeton", Presbyterian Life, 15 de septiembre de 1958, 8.

6. Véase John A. Mackay, op. cit., 12-13

7. Véase John A. Mackay, *El orden de Dios y el desorden del hombre*, Casa Unida de Publicaciones, México, 16-20

8. Mackay refleja sobre la obra de Samuel Rutherford en *Prefacio a la Teología Cristiana*, Casa Unida de Publicaciones S.A., 1988, 139-140

9. Harbison, op. cit., 8.

C. ABERDEEN: LOS ESTUDIOS EN LA UNIVERSIDAD (1907-1913)

"El cambio fue dramático. Se me abrieron nuevos horizontes".

Mackay y Camerón se hospedaron en la misma casa en Glasgow. Tambien había otros dos candidatos de la Iglesia Presbiteriana Libre. Esa pequeña denominación quería que sus cuatro estudiantes para el ministerio estudiaran en Glasgow en vez de Edimburgo porque no había una congregación en Edimburgo. A las tres semanas, Mackay fue informado que se la había otorgado una beca en la Universidad de Aberdeen. Sus padres no tenían inconveniente, al contrario, se sentían contentos con el cambio que les ahorraría parte del costo de los estudios. En las universidades de aquel tiempo en Escocia no se cobraban derechos de matrícula y enseñanza. La familia del estudiante tenía que sufragar solamente los gastos de hospedaje. Entonces Mackay salío de Glasgow para King'ș College de la Universidad de Aberdeen para continuar los estudios de griego y hebreo. El lema de la Universidad *initium sapientiae timor domini* ("El temor del Señor es el principio de la sabiduría") reflejaba la orientacíon religiosa de la institución a pesar de no tener una afiliación oficial con la Iglesia de Escocia. (I,18)

Mackay cuenta de sus primeras experiencias en Aberdeen de la siguiente manera: "El cambio fue dramático . Se me abrieron nuevos horizontes. Se forjaron nuevas amistades. En las reflecciones y memorias escritas en mis diarios privados se deja constancia de la presencia y la obra de "La Mano"... Sucedieron allí momentos emocionantes y reveladores, inesperados de mi parte. Eran las manifestaciones de "La Mano" que me empujaba a tomar El Camino ... Una etapa en todo sentido nuevo en mi vida había comenzado... Si no hubiera ido a Aberdeen, mi vida hubiera sido diferente ... Fue allí a donde hallé a mi amada, quién más tarde llegó a ser mi esposa.

"Los horizontes nuevos eran religiosos y culturales. Llegué a conocer el Movimiento Estudiantil de Voluntarios (Student Volunteer Movement) y me puse en contacto con movimientos cristianos con los que nunca me había relacionado antes. Llegué a conocer un mundo totalmente nuevo. Me encontré libre de la imposición de la iglesia de mi formación, las actividades obligatorias y también de mis padres. Me sentía libre para asistir a las reuniones donde quisiera participar". (I,18-19)

Aberdeen: su ambiente cultural y académico

Aberdeen era y es la ciudad principal del noroeste de Escocia. Fue llamada "la ciudad de granito" porque la mayoría de sus edificios son construídos con ese material. Aberdeen es una ciudad de las tierras bajas. Pero la Universidad de Aberdeen tenía una mayor proporción de estudiantes de las tierras altas más que las otras tres universidades de Escocia. Había dos partes de la Universidad: King's College y Marischal College. Los estudios en King's College se inclinaban hacia la cultura del período de los clásicos y la tecnología: los de Marischal College hacia los científicos, la medicina, leyes y la pedagogía.

"Nunca pienso en la Universidad de Aberdeen sin recordar al profesor de filosofía, el profesor Baillie. Era un escocés del sur del país que había estudiado en Oxford. El no era pariente de Donald y John Baillie, mis compañeros de clase en la Academia Real que llegaron a ser teólogos prominentes. El profesor Baillie no era hombre religioso: era agnóstico y a veces hablaba con mucho cinismo sobre la religión. Pero un día dijo: 'A mi juicio, existe un libro único en la literatura humana, sin par, y aquel libro es el libro de los Salmos. Allí se encuentra el hecho singular que el hombre habla al hombre y el hombre habla a Dios de una manera y con una profundidad que no se puede encontrar en ningún otro libro de la literatura'.

"Por supuesto, aquella declaración en boca de Baillie me impresionó mucho porque yo pertenecía a una denominación que cantaba solamente Salmos. Hasta el día de hoy el Libro de los Salmos es una realidad muy central en mi vida. De mañana y de noche sigo leyendo los Salmos.... Creo que Baillie fue el profesor más influyente en mi experiencia cultural en Aberdeen, en particular cuando resolví poner énfasis principal en la filosofía durante los años universitarios. ...El agnosticismo (de Baillie) no me hizo daño porque reaccioné positivamente ante aquella posición filosófica y cuando yo hablo de Baillie lo hago con aprecio porque el me estimuló y me desafió. (II,5-6)

"En aquellos años yo leía las obras de Platón, Aristóteles y Hegel...pero paulatinamente llegué a conocer a Henry Martyn, el gran misionero y a Samuel Rutherford quien habia sido encarcelado en Aberdeen y que llamaba a su cárcel 'el palacio de Cristo'. Rutherford me impresionó mucho. El fué mi ideal por su profunda experiencia religiosa. También Rutherford fue teólogo eminente y hablaba de las cosas que combinaban el corazón y la mente ... Tuvo una gran influencia sobre mi vida. (II,4-5)

"Otro personaje que me impresionó mucho fue Robert Murray MacCheyne. El fue uno de mis autores favoritos y me encantaban sus experiencias. Era un joven brillante quien vivió en el siglo XIX y murió a los veinte-siete años ... Mackay y Rutherford no fueron solamente intelectuales, sino también personas que escuchaban a Dios, conversaban con El, contemplaban la realidad mística y buscaban su comunión. (II,10)

"Fue en Aberdeen que conocí y escuché a Robert E. Speer en 1910. Sentí cuando le ví y le escuché, que nunca había oído en mi vida a un orador más brillante. Cuando supe que Speer había estudiado en el Seminario de Princeton, me interesó matricularme un día en aquella institución. Me quedé impresionado, no solamente por lo que dijo, sino por el hombre en sí. Fue Speer quien más tarde me invitó a dejar América Latina para trabajar en la Junta de Misiones en el Extranjero en Nueva York. Speer me impactó tremendamente a lo largo de toda la vida. (I,6)

"En aquellos años en Aberdeen yo gozaba de contactos fuera de la vida netamente académica... Empecé a expresar y comprender lo que más tarde llamé el estilo encarnacional de la vida... Hice todo lo posible por darme cuenta de lo que pasaba en Aberdeen en los grupos de debate y discusión. Tenía interés en el pensamiento de todos los sectores-- los que tenían preocupaciones seculares tanto como religiosas. Había grupos en la universidad que se reunían para la oración y la discusión. Otros grupos se juntaban para platicar sobre toda clase de temas seculares e invitaba a hablar en sus reuniones. Yo tenía interés en los dos grupos y las dos facetas. En una ocasión (1913) me ofrecieron un puesto en la Universidad de Aberdeen como ayudante del profesor de lógica. Hubo también la posibilidad que yo entrase en el mundo académico, pero no acepté la invitación". (II,20)

Nuevos horizontes misioneros y la visíon de servicio

La India llegó a tener un lugar prominente en sus pensamientos y en sus planes para el futuro. Uno de los héroes misioneros de Mackay fue Alexander Duff, el misionero educador pionero en la India. (El único hijo de Mackay, Duncan, lleva el nombre de Alexander Duff como su segundo y tercer nombre). Mackay tenía libros sobre la India y varias personas visitaron la Universidad para hablar sobre ese país.

También pasaba tiempo, mayormente los domingos, visitando a los ancianos y a los enfermos. "...Hice todo lo posible para relacionarme con la comunidad tanto en las dimensiones académicas como en su realidad humana... trataba de ser pastor, no porque lo contemplara en términos teóricos, sino porque brotaba de mi propia convicción de que así se porta el cristiano... (II,8)

"...En aquellos días la realidad de la unidad cristiana se encarnó en mi vida a la vez que intentaba salir de las restricciones de los lazos denominacionales. Empezaba a pensar cómo la unidad cristiana podría expresarse en el mundo y en las iglesias. Comprendí más y más que antes de lograr la unidad verdadera entre las iglesias, era imprescindible tener una comunión viva con Cristo... Y escribí estas palabras:

'¿No son todos los cristianos miembros de una sola familia? ¿No son todos uno en Cristo Jesús? Sí, debe ser, pero después, ¿A dónde? Es penoso contemplar la desunión de la Cristiandad'. (II,9)

"Una vez asistí a una convención en Baslow, Inglaterra, durante un verano, auspiciada por el Movimiento Estudiantil de Voluntarios. Allí escuché a Samuel Zwemer. El tema del movimiento fue: Evangelizar al mundo para Cristo en nuestra generación..." (II,21)

La congregación bautista de Gilcomston

En Aberdeen había una pequeña congregación de la Iglesia Presbiteriana Libre pero Mackay no se sentía obligado a asistir. Pero él sabía también que la Iglesia Presbiteriana Libre no veía con agrado su participación en otra congregación presbiteriana, de modo que se sintió libre para frecuentar una congregación bautista.

"La congregación de Gilcomston significaba mucho para mí...asi como el pastor de la congregación, el reverendo Alexander Grant Gibbs. Encontré que la congregación de Gilcomston no era solamente un lugar donde podía asistir a los cultos, escuchar sermones y asistir a reuniones, sino que era una congregación que tenía toda clase de grupos incluyendo uno de estudio sobre la obra misionera. Gibbs estaba más y más involucrado en el movimiento misionero... e invitaba a un grupo a reunirse en la casa pastoral semanalmente para estudiar los desafíos que enfrentaban al movimiento misionero. Estudiamos un cursillo sobre la India. (1) Me emocioné en gran manera con esta experiencia. Yo era el más joven del grupo, pero me pidieron que fuera su presidente". (II,12)

Jane Logan Wells y Juan A. Mackay

"...Conocí allí a Jane Logan Wells, una joven de Banffshire. Ella era estudiante en un instituto normal (Aberdeen Training College for Teachers) y cursaba también psicología y sociología en Marischal College. Había enseñado en Fintry y fue seleccionada la primera en un concurso para estudiar en Marischal College. Jane Wells era miembro de la congregación de Gilcomston y asistió también al grupo de estudio sobre la obra misionera. Ella, como bautista, tenía interés en las misiones en América del Sur y en particular en "The Regions Beyond Missionary Society" en Perú. Después de las reuniones la acompañaba a su pensión. Ella era la dama destinada para ser la compañera de mi vida..." (II,12)

Jane y Juan se enamoraron durante los primeros años de sus estudios en Aberdeen. Ella tenía veintiún años y Juan dieciocho. Los dos sentían un interés común en América del Sur: ella por la obra misionera en el Perú y él en el continente por medio de su tío quien había emigrado a la Patagonia.

La congregación de Gilcomston celebraba todos los años una comida en el campo durante el verano en un lugar denominado Pittmeden. Durante una excursión Jane y Juan caminaron juntos por los bosques y entre las colinas.

"...Nosotros estábamos en camino hacia un compromiso. Pero fue allí en Pittmeden que nos enamoramos por seguro y expresamos nuestro amor mútuo... y oramos juntos..." (II,13)

Mackay y su diario privado (2)

"Al empezar los estudios en Aberdeen, comencé a escribir un diario privado. Esto fue de acuerdo con la gran tradición de los hombres que me formaron. Sentí un impulso de expresar diariamente mis pensamientos, mis sentimientos y mis experiencias, en particular en relación a las lecturas bíblicas... Este diario consta de cinco cuadernos de diferentes dimensiones y contiene mucho material. En cuanto al carácter de este diario, se encuentra en él los comentarios sobre los pasajes de la Biblia que yo leía día tras día. Se encuentran allí mis reflexiones cotidianas sobre la religión y la vida en general, y algo relacionado con mis propias experiencias y conceptos como se formulaban en mi mente. También hay algunas oraciones breves. En los diarios se ven los datos y la reflexión de mis experiencias. Abarca el período de Aberdeen a Princeton, y también el tiempo cuando me encontré forzado a estar lejos de Aberdeen... en Tain en Rosshire donde serví de pastor como estudiante durante trece semanas en 1912. También hay ciertas referencias a mis experiencias en Wick donde estudiaba como candidato para el ministerio bajo la Iglesia Presbiteriana Libre. Se incluye también mis experiencias en Princeton después de dejar la Iglesia Presbiteriana Libre y cuando me hice miembro de la Iglesia Libre de Escocia y tomé la decisión de ser misionero en la América del Sur.

"...Escribí en el diario hasta tres veces al día. En algunos casos pasaron días sin escribir. Se pueden hallar espacios cuando se dieron meses sin escribir debido a los cambios de un lugar a otro. Cuando fuí a casa durante el verano, nunca escribí en el diario... solamente lo hacía cuando estaba activo en un ministerio. El diario abarca mayormente los años de mi vida entre los dieciocho y veinticinco años de edad... (II, 1-3)

"A veces estuve muy pesimista, sombrío y preocupado. No gozaba de una experiencia permanente con Cristo, pero siempre El estaba presente...En otras palabras, yo tenía momentos de desaliento... y mucho de lo que se encuentra en los diarios es mi oración y confesión que yo no había llegado a ser la persona que debía ser. Allí (en mi diario) está el testimonio de un autoexamen constante... Fuí muy crítico también del hecho que no había logrado la santidad y piedad que debía manifestar. Nunca dudé de mi relación con Cristo. Solamente sabía que El tenía en Sus Manos a una persona muy indigna... pero Cristo se hizo vivo y amado en mi vida. Muchas veces fuí infiel y reconocí mi infidelidad... (II, 19-20)

"Cada vez la experiencia de Rogart se hizo más y más el centro de mi vida. Fue el momento en que nuestro Señor me ayudó...Cuando yo reflexioné sobre lo que sucedió allí a la luz de la epístola a los Efesios 2.1, ' Y él os dio vida a vosotros...' yo pienso que tuve una experiencia vivificadora. Encontré en mis diarios varias referencias a Rogart... como estas palabras:

"'Oh, Rogart, mi corazón anhela otra vez aquella dulzura que disfruté con mi Salvador en las montañas amadas...Recuerdo bien el día , ¿podría la Eternidad borrarlo de la memoria?...Fue allí entre las colinas hermosas de Rogart donde resonaban las voces de alabanza...y de noche los fuertes clamores...que Cristo me escogió para El. Dios me hizo su propio hijo, me separó para ser su siervo...Nunca puedo experimentar algo más allá que Rogart...'" (II, 11)

El verano de 1912 en Tain

"Me enfermé en Aberdeen en 1912 y tuve que volver a casa. Me parece que estaba trabajando demasiado. A veces me acostaba a las dos de la madrugada y me levantaba a las seis para estudiar. Durante la convalescencia, la Iglesia Presbiteriana Libre me invitó a servir como pastor suplente en Tain, un pueblo a 75 kilómetros de Inverness. Aquella experiencia tuvo una influencia muy grande en mi vida. Yo asumí muy joven una responsabilidad pastoral. Predicaba todos los domingos, pero no podía hacerlo en el idioma galo. Predicaba por la mañana, por la tarde y por la noche, de modo que tenía que prepararme para tres cultos.

"Tuve el privilegio de vivir en un lugar campestre y hermoso a un kilómetro y medio del pueblo. El hogar donde me dieron hospedaje fue el de una viuda y sus dos hijas. Ellas eran muy agradables y viví allí como miembro de la familia... Visitaba a todas las familias de la congregación dos veces durante el verano...La congregación tenía unos cien miembros. No tenía bicicleta y caminaba por toda la ciudad y la playa. Así fue mi costumbre en Tain, y ahora camino todas las mañanas... el caminar quedó arraigado en mi ser... Mi salud mejoró mucho como resultado de esas trece semanas en Tain. La familia que me hospedó se preocupó por mi salud. Me dieron mucha leche. Nunca tomé tanta leche en toda mi vida. Con mucho descanso, la salud mejoró.

"Un ministro de la Iglesia Libre de Escocia que vivía cerca de Tain me invitó a visitarle... En su congregación había un presbítero, Walter Sinclair. Llegué a conocerle muy bién. Este pastor y presbítero era miembro de un comité que tenía la responsabilidad de los candidatos para el ministerio. Ellos procuraron convencerme que dejara la Iglesia Presbiteriana Libre por la Iglesia Libre de Escocia y me aseguraron que estaban dispuestos a prestar su apoyo personal ante el comité para que yo fuera aceptado por la Iglesia Libre de Escocia como candidato para el ministerio.

"Después de los meses en Tain y al regresar a mi casa en Inverness, un pastor, llamado también Mackay, me ayudó mucho. El fue también profesor de hebreo y teología de tres estudiantes de la Iglesia Presbiteriana Libre, a pesar de ser pastor de la Iglesia Libre de Escocia. Estudiamos con él en la casa pastoral. La denominación lo toleraba como profesor aunque lo consideraba un tanto hereje. Fue una persona muy especial, habiendo sido antes profesor en Edimburgo. El había visitado el Seminario Teológico de Princeton y conocía al Presidente Benjamín Warfield allí. Otra vez al oir más de Princeton me acordé de haber escuchado a Robert E. Speer en Aberdeen y que él había estudiado en Princeton. (II,13-18)

"Después de los estudios en Inverness, los tres estudiantes fuimos a Wick en Caithness, al extremo norte de Escocia para estudiar durante tres meses en la casa del pastor. Vivíamos en una casa particular, todos juntos en una sola pieza... Deseaba dejar la Iglesia Presbiteriana Libre y deseaba a la vez vincularme con la Iglesia Libre de Escocia porque no veía en ella ningún porvenir.
(II, 16-17)

"Sentí también el llamado para ser misionero en América Latina. Los amigos de la Iglesia Libre de Escocia me dijeron que si tenía interés en servir en Sudámerica me aseguraban que su junta de misiones me mandaría allí como misionero. (II,17-18)

"En el verano de 1913, me gradué de la Universidad de Aberdeen con honores en filosofía, habiendo ganado el premio más importante, la medalla de oro 'Bain' y más tarde la beca de estudios 'Fullerton' que hizo posible mi ida a Princeton. De modo que cuando salí para Princeton en septiembre en el año 1913 la Iglesia Libre de Escocia me aseguró su apoyo para servir en la obra misionera en América Latina... Fue en el buque trasatlántico de viaje a Princeton que escribí la carta de renuncia a la Iglesia Presbiteriana Libre como candidato de esa denominación. Mis padres no presentaron inconvenientes a mi decisión de cambiar de una iglesia a otra..." (II, 16-17)

Juan A. Mackay y Jane Wells se despidieron repitiendo juntos las palabras del himno "Me Guía El con tanto amor..." Jane enseñó en un colegio experimental en Aberdeen durante los tres largos años de separación antes de casarse con Juan en agosto de 1916. Mackay volvió a Escocia una sóla vez por tres meses en agosto de 1915 antes de partir para España. (III, 24-25)

NOTAS SOBRE EL TEXTO:

1. Véase, *Princeton Seminary Bulletin* XXXVI, No.4 1943,23 sobre su interés en servir en la India.

2. Estos diarios de Juan A. Mackay eventualmente se depositarán en la Biblioteca Speer en el Seminario Teológico Presbiteriano de Princeton, New Jersey, según la declaración de Mackay en sus comentarios sobre los diarios. (II.1,3) Quedan por examinar en detalle estos diarios de su vida para comprender más a fondo sus años formativos. Estos diarios y muchos otros documentos inéditos todavía no están a la disponibilidad del público. Por gentileza de la hija mayor de Mackay, el autor tuvo el privilegio de leer en el año de 1987 estos preciosos diarios.

D. UN SUEÑO REALIZADO: ESTUDIOS EN EL SEMINARIO TEOLOGICO DE PRINCETON (1913-1915)

Su padre le acompañó en el viaje a New York. Los dos llegaron a Princeton una semana antes del comienzo de las clases y buscaron mientras tanto dónde quedarse en los predios del seminario. Su primer amigo en los Estados Unidos, Peter Emmons, cuenta acerca de la llegada de Juan y de su padre:

"Me encontré con ellos caminando perdidos por los corredores de los dormitorios de Hodge Hall. Cuando supe que no tenían dónde dormir la primera noche, les invité a pernoctar en mi apartamento. Yo tenía dos cuartos y cedí a Mackay y a su padre mi dormitorio y yo dormí en el sofá en el otro cuarto. (III,1)

Así pasó Juan Mackay la primera noche en Norteamérica con su anfitrión durmiendo en el sofá y dando a los Mackay su cama. "Pete" Emmons fué uno de los pocos amigos de Juan A. Mackay que le llamaba "Jock". Mackay y Emmons llegaron a ser amigos íntimos de por vida y colegas más tarde en la Junta de Misiones en el Extranjero de la Iglesia Presbiteriana. Más tarde, Emmons fue elegido presidente de dicha Junta cuando Mackay dejó ese puesto en 1948.

Mackay fué admitido al Seminario como estudiante de segundo año en base a los estudios cursados en Escocia. Por ese entonces, el Seminario de Princeton no tenía un comedor común, sino varios clubes que servían alimentos y a la vez daban oportunidad al compañerismo. Cada club tenía su casa propia. Existían cinco clubes en aquel tiempo: Calvin, Warfield, Benham, Adelphia y el quinto para los estudiantes mayores. Peter Emmons estaba en segundo año y también fue miembro del Club Adelphia. Este club tenía un grupo grande de estudiantes extranjeros y estudiantes de afiliación denominacional no-presbiteriana. Uno de los compañeros de curso de Mackay fue el teólogo japonés Toyohiko Kágawa, quien llegó a ser uno de los grandes personajes en la obra cristiana y social en su patria. Mackay se encontraba contento entre los "adelfianos" porque según él, "tenían menos prejuicios en cuanto al transfondo de los estudiantes". Mackay dijo que los otros clubes eran más sectários y elitistas. (III, 3,4)

Al fin del primer año de estudios, Mackay fue elegido vicepresidente del Club Adelphia y el segundo año fue presidente. Fue también elegido presidente de un nuevo organismo estudiantil Mackay cuenta:

"...anteriormente los estudiantes tenían poca participación en los asuntos del Seminario, pero en el período de mis estudios allí aumentó la preocupación sobre las relaciones entre el cuerpo estudiantil y el cuerpo docente. El doctor Stevenson era presidente del Seminario. Mis compañeros me nombraron para entrevistarme con él en relación al descontento de los estudiantes...El doctor Stevenson me escuchó pero no expresó mucho interés en las quejas porque para él los estudiantes debían someterse a la autoridad de los profesores y ...cumplir lo que les fuera ordenado..." (III, 5-6)

Mackay se había informado de la "revolución" estudiantil contra el Presidente Francis Landey Patton unos diez años antes. Pero Mackay dijo que Stevenson tampoco tenía interés en la agenda de los estudiantes, por lo menos al principio, después demostró más interés. El único profesor que parecía comprender las quejas de los estudiantes era el profesor Charles R. Erdman. El doctor Erdman y su esposa invitaban a los estudiantes a su casa para tomar té y conocerles personalmente.

Los estudiantes tenían de vez en cuando el valor de acercarse a un profesor en su residencia particular para conversar con él sobre algún problema, pero no había relación de amistad y de intercambio entre los profesores y sus alumnos. Mackay cuenta que otras excepciones fueron el profesor holandés Vos y el joven profesor de retórica, el profesor Wheeler. Ellos sí se relacionaron con los estudiantes y siempre estuvieron dispuestos a charlar con ellos después de las clases. (III,6-7)

Mackay menciona a los profesores de su período en el Seminario: William Park Armstrong (Nuevo Testamento); J. Gresham Machen (Nuevo Testamento); Robert Dick Wilson (Antiguo Testamento); Benjamín B. Warfield (teología sistemática); Oswald Allis (Antiguo Testamento), William Benton Green, y "el decano" de los profesores, Caspar Wister Hodge, el último del linaje tradicional de los "Hodges" de Princeton, profesores de teología didáctica. Mackay tenía recuerdos de un seminario "muy, muy conservador". (III,8-10,14)

Dice del Profesor Machen que "era un excelente profesor...e impresionó mucho a los estudiantes. Era joven soltero y vivía en un cuarto en el Alexander Hall..."(III,8) El doctor Machen llegó a ser un personaje muy controvertido en la Iglesia Presbiteriana unos diez años más tarde. Mackay habló de Francis Landey Patton, el rector jubilado de la Universidad de Princeton "que realmente tenía solamente un buen sermón pero había sido un excelente predicador... En la dedicación de los edificios de la facultad para posgraduados de la Universidad, el doctor Patton no fue invitado a hablar, pero oró por veinte minutos. Fue la oración más larga que jamás yo había escuchado. De veras la oración contenía todo lo que él pudiera haber dicho en un discurso. (III, 19-20)

"....me gustaban mis clases, pero mi preocupación principal era el significado de una educación teológica y lo que mi misión en la vida debía de ser. Mi interés primordial era la tarea misionera... más allá del plantel del seminario... era casi una pasión... y mi preocupación principal era en torno a ¿qué iba a hacer después de estos estudios en Princeton? Esta pregunta me daba una perspectiva para todas las otras. La preocupación mía no era por Princeton como institución sino cómo se vive aquí como cristiano en relación con los otros estudiantes y así prepararme para vivir en el futuro. (III,14-15)

Mackay cuenta que una de sus experiencias sobresalientes fue participar en la convención del Movimiento Estudiantil de Voluntarios con Peter Emmmons en Kansas City, Missouri en 1913. Allí él escuchó nuevamente a Robert E. Speer, a John R.Mott y a Samuel Zwemer, los líderes del movimiento misionero que le había inspirado en Escocia e Inglaterra unos tres años antes. (III,20-21)

En la clase de homilética con el doctor Wheeler, él predicó un sermón con el título: "Mis tiempos están en Tus manos, oh Dios" basado en el versículo precioso de su juventud en las montañas de Escocia. Este concepto de la Mano Divina en la vida de Mackay vuelve a aparecer muchas veces durante su ministerio, siempre dándole la oportunidad para revivir la experiencia de su conversión en Rogart en el año 1903. (III,7)

Mackay participó en un grupo de oración por la obra misionera los domingos por la noche. Tomó algunos cursos sobre América Latina en la Universidad de Princeton y un curso en español. Pero Mackay dijo que no había mucho interés en la Universidad por la cultura hispana. En ese lugar conoció al hijo de John R. Mott quien estudiaba allí. También tenía un compañero de clase, puertorriqueño, llamado José Osuna con quien se hizo buen amigo. Mackay jugaba futbol americano en el patio al lado del dormitorio del seminario. (III,10)

Un día fue a Nueva York (una hora por tren), para entrevistarse con John R. Mott en las oficinas de la Asociación Cristiana de Jóvenes y con Robert E. Speer en la Junta de Misiones de la Iglesia Presbiteriana. Comenta Mackay al respecto en su historia oral:

"Fue difícil conseguir una cita para hablar con Speer. Cuando Speer me recibió, me dió el tiempo necesario para que expusiera mis ideas. Siempre me recibió con mucha cortesía. Pero después de conversar un rato, Speer se quedó en silencio y hubo un vacío que creó un ambiente difícil. El no indicó si quería terminar la entrevista, sino solamente se quedó en silencio. Por el contrario, Mott me dijo al principio de la entrevista que disponía sólo de unos pocos minutos". (III,22-23)

Durante los años en Princeton Mackay empezó a formular sus propios conceptos sobre la Iglesia, y en particular, sobre la educación teológica. Unos veinte años más tarde pudo implementar estas ideas como presidente de la misma institución. Una idea giraba en torno a una teología encarnacional. En este concepto Mackay afirmaba que los cristianos tenían que convivir dentro de la Iglesia y en este caso, dentro de un seminario teológico en comunión el uno con el otro. Según Mackay no había ningún substituto para el encuentro "cara a cara" en la comunidad humana. A pesar de que Mackay todavía no había formulado el principio teológico de "lo encarnacional" en su pensamiento, se dio cuenta acerca de la vital importancia de la identificación personal con otros semejantes y de encarnar el amor y el perdón de Dios en nuestra vida cotidiana

Otro concepto teológico de Mackay era sobre la dimensión misionera de la Iglesia. Todo lo que se hace en la Iglesia ha de ser con el fin de ser un testigo de Jesucristo en el mundo. La teología y la cultura tienen que estar en diálogo constante para que el Evangélio llegue a transformar la cultura. La cultura también tiene que informar a la teología de los problemas que están tratando de resolver. Este concepto del diálogo entre la religión y la cultura iba a concretarse nuevamente durante el año de estancia en España inmediatamente después de sus estudios en Princeton. (IV,13)

Mackay fue un estudiante brillante en Princeton. Por eso, no fue una sorpresa que ganara una beca para estudios posgraduados en teología en 1915 al graduarse del Seminario. El título de su tésis fue "Lo que Significa la Revelación". Pero el año 1915 fue el tiempo de la Primera Guerra Mundial. ¿A dónde iría a estudiar? Las facultades de teología de Gran Bretaña tenían muchos problemas y la mayoría de los estudiantes estaban en las fuerzas armadas. Era imposible aún pensar en estudiar en Alemania. Cuando conversaba con el presidente Warfield, el distinguido académico le dijo: "Si va a servir como misionero en Sudamérica,

¿por qué no va a España a estudiar la tradición religiosa española
y aprender bien el castellano?" (III,25-26)

E. ESPAÑA: OCHO MESES DE ESTUDIOS
(1915-1916)

"La experiencia cultural decisiva de mi vida"
España y su historia

España por su ubicación geográfica entre Europa y Africa ha
sido un puente de encuentro histórico entre la cultura cristiana y
la tradición musulmana. Las influencias son inevitables. Por el
carácter singular de la raza ibérica, España permanece a través
de los siglos como fuente creadora de arte, literatura, arquitectura y religión. Hoy día el viajero que pasa por las calles de Sevilla,
toma café en los bares de Córdoba y contempla los óleos en el
museo de El Prado, encuentra todavía el encanto místico y el
calor humano de una cultura rica y vibrante. En dos palabras:
¡España permanece!

Juan A. Mackay logró resumir tanto la fuerza como el enigma
del carácter y la cultura española en el magnífico primer capítulo
de su libro *El otro Cristo español.* El escribió en ese tratado clásico
acerca de la intensa individualidad, el predominio de la pasión,
de el sentido abstracto de la justicia y el sentido concreto del
hombre y de la catolicidad del alma ibérica. (1) Cuando Mackay
decía en varias ocasiones que los ocho meses que pasó en España,
que ésta fue "la experiencia cultural decisiva de mi vida", él
reflejaba el impacto que esta cultura poderosa hizo sobre su
pensamiento y perspectiva durante toda su vida. Mackay solía
decir: "Yo debo a la cultura hispana mucho más de lo que la
lengua puede contar y de lo que la pluma puede escribir. Hoy día
aún pasa igual a ciertos extranjeros que abren el corazón y la
mente al espíritu ibérico.

España vista a través de los ojos de Juan A. Mackay

Imagínese un joven escocés de veintiseis años de edad llegando a Madrid en 1915 durante la apertura política bajo el benevolente Rey Alfonso XIII. Como escocés, Mackay sabía algo de los lazos históricos entre los galos del Norte de Escocia y los galos de Viscaya y Galicia. El conocía acerca de la Reina católica María Estuardo criada en la corte de los reyes borbones, quien gobernó a Escocia, un pueblo reformándose bajo la influencia de Juan Knox. Mackay conocía bién cómo el pueblo francés apoyaba al pueblo escocés en su lucha contra el dominio inglés, y a la vez odiaba la religión de los franceses. También Mackay había recibido, consciente o inconscientemente algunos de los prejuicios de los británicos contra los hispanos por considerarlos una raza inferior a los anglosajones. De modo que Juan A. Mackay llegó a España con sus limitaciones culturales pero, por otro lado, con cierto realismo de los factores históricos que habían unido a los dos pueblos a través de la historia. También conocía que la Iglesia Libre de Escocia había enviado misioneros en 1868 a Sevilla en el momento de "La Revolución Gloriosa" para ayudar a formar a los primeros pastores evangélicos de España. (2)

Mackay respondió con entusiasmo a la sugerencia del Profesor Warfield. Con toda probabilidad, según Mackay, Warfield no sabía mucho acerca de la cultura hispánica, ni tampoco estaba consciente de los personajes intelectuales de la España de aquella época que Mackay iba a conocer. Pero por lo menos el consejo de Warfield fue providencial porque Mackay llegó a España en una de las épocas de más apertura y creatividad en su historia moderna.

En la introducción al libro *The Oppression of Protestants in Spain* (Opresión de los protestantes en España), Mackay escribió en 1955 acerca del liberalismo español en los términos siguientes:

"Alfonso XIII fue rey y el Conde de Romanones su primer ministro. En las escuelas del gobierno hubo la completa libertad intelectual. No había censura de prensa ni de libros. Los protestantes podían celebrar sus reuniones libremente en lugares fuera de los templos autorizados como hoy día. En el Madrid de aquel tiempo hubo dos españoles venerables, hombres de gran distinción intelectual: un obispo anglicano y un pastor presbiteriano. Los dos habían dejado el sacerdocio católico romano temprano en su carrera y se dedicaron al avivamiento evangélico de su patria..."(3)

Madrid era una ciudad grande, con anchas avenidas dotadas de estatuas elegantes de dioses griegos y emperadores romanos. Mackay empezó a comprender la grandeza de España y su rica historia de más de veinte siglos. ¡El se dió cuenta que España también tenía sus glorias y había ganado "un lugar debajo de el sol" como el Imperio Británico!

Mackay bien podía haber visitado los jardines y las cortes exteriores del Palacio Real y haber caminado por las calles pintorescas medio escondidas que salen de los pórticos de la Plaza Mayor. Sin duda pasó horas en el Museo "El Prado" donde se sentó en una banca frente al óleo de Velázquez "El Cristo Crucificado", e inmortalizado en el ensayo de Miguel de Unamuno sobre esta obra de arte en el año 1920.

El joven teólogo llegó a España después de dos años de estudios en Princeton donde aprendió *in situ* la interpretación americana de "La Guerra de la Rebelión" como se denominaba "La Guerra de la Independencia Americana" de 1776-1783 en los textos de historia de Gran Bretaña. Los años en Princeton, cuna de muchos eventos de la lucha de autodeterminación americana, ofrecieron al joven escocés la oportunidad de orientarse como ciudadano británico a la historia de la nación que más tarde llegó a ser su segunda patria.

Antes de empezar los estudios posgraduados en Madrid, Mackay hizo un viaje por América del Sur en junio y julio de 1915. Su amigo, Jacob Koonz, le acompañó hasta Panamá. Allí Mackay fue confrontado por primera vez con la realidad de la historia y cultura latinoamericana. Cuando salió de España en julio de 1916, él había vivido como extranjero en tres nuevas culturas: la americana, la latinoamericana y la ibérica en menos de tres años. Por esta razón, Mackay se consideraba un hijo de tres continentes y de tres culturas: la europea, la hispanoamericana y la norteamericana.

Mackay ahora en Madrid empezó a sumergirse a fondo en el mundo hispano: un mundo antiguo, aristocrático; un mundo más filosófico que pragmático. El encontró en España una historia de siete siglos de ocupación morisca. El estuvo rodeado por los monumentos y los relatos gloriosos de la conquista con la espada y la cruz de las Américas. Mackay dijo al autor en 1967: "Allí aprendí a confiar en Dios y perderme en la cultura".

El aprendió bien el español durante su estadía en Madrid. Alguien dijo años más tarde que pensaba que el español fue la lengua materna de Mackay. El pastor español Humberto Capó que conoció a Mackay en Amsterdam en 1948 dijo al autor que "el castellano del doctor Mackay fue docto y clásico..." (4)

Además de fundamentarse bien en la lengua de Miguel de Cervantes y Teresa de Avila, Mackay llegó a comprender algo de esa vieja y erguida cultura española donde reinaba la tríada del poderío militar, el dogmatismo eclesiástico y la nobleza semi-feudal. El también se inició allí en el desafío para toda su vida: comprender la actitud filosófica del español hacia la vida.

James Michener habla de la posición filosófica del español en su libro *Iberia*. Dice Michener que los intelectuales españoles se consideran los hijos del filósofo Séneca. Ellos contemplan el mundo con cinismo, pero con genio agudo y con un sentido exagerado del pundonor. Los españoles son ágiles en el uso de las palabras y en toda su conversación se refleja la filosofía de Séneca. Michener dice que Séneca y Cervantes son las dos estrellas polares del pensamiento español. (5)

En la España de los años 1915-16 Mackay empezó a explorar las realidades ibéricas que formaron la base de su comprensión profunda de la historia espiritual de España y América Latina y que más tarde vertió en su obra magistral *El otro Cristo español*.

El éxito de su servicio misionero en el mundo hispano radicó en gran parte, como el dijo, en "esta experiencia cultural... la más decisiva de mi vida".

La Residencia de Estudiantes en Madrid

Fue afortunado para Mackay que España no estuviera involucrada en la Primera Guerra Mundial. El llegó a Madrid en el mes de noviembre de 1915. A su llegada, el consulado de Gran Bretaña le informó acerca de un internado para extranjeros en Madrid llamado "La Residencia de Estudiantes" en la Calle Pinar en "Los Altos del Hipódromo". Además le informaron que la Residencia buscaba en particular a estudiantes de habla inglesa para ayudar a los estudiantes españoles con el inglés.

La Residencia había sido fundada en 1910 en un hotel cercano por Francisco Giner de los Ríos, Alberto Jiménez Fraud (el primer director) y los jóvenes intelectuales como José Ortega y Gasset. El nuevo edificio fue abierto en septiembre de 1915 de modo que había más espacio para recibir a estudiantes como Juan A. Mackay que en los locales alquilados anteriormente entre 1910 y 1915.

En la Residencia se alojaban mayormente jóvenes de las mejores familias de España, muchos procedentes de las provincias. En el año 1914-1915 los jóvenes estaban estudiando en las siguientes facultades: 25 estudiantes en medicina; 30 en leyes; 25 en ingeniería y el resto de unos 50 en filosofía y letras, farmacia, arquitectura y pedagogía. (6)

En el año 1912 se había iniciado un curso de verano para estudiantes del extranjero. Asi que Mackay se matriculó en el Centro de Estudios Históricos relacionado con el movimiento del Instituto de Enseñanza Laica, fundado por Giner de los Ríos. También Mackay enseñó inglés a sus compañeros en La Residencia y estudió español con los mejores profesores de la época. Todo ocurrió en un ambiente inspirador para el joven teólogo con una visión misionera hacia el mundo hispano.

El director de la Residencia era un joven de veintiocho años, Alberto Jiménez Fraud, discípulo de Giner de los Ríos, quien había fallecido a los setenta y seis años de edad en febrero de 1915. Giner de los Ríos puede ser considerado el creador de la institución de educación pública en España.

Giner de los Ríos era oriundo de Ronda, antigua ciudad de Andalucía, de una familia renombrada de intelectuales. El promovió en España los conceptos modernos de educación que cambiaron definitivamente el sistema de educación pública en la nación. El Instituto de Libre Enseñanza todavía funciona en Madrid. "La Residencia" fue una de varias instituciones en que Giner de los Ríos participó en su formación.

"La Residencia se había organizado lo más lejos posible del clásico internado de claustro predominante por aquél entonces en España, pues no tenía ningún reglamento que marcara deberes de tipo externo. Los residentes gozaban de una total libertad para estudiar o no estudiar...sin la presión artificial de castigos o premios..." (7) La Residencia reflejaba los ideales pedagógicos del Instituto de Libre Enseñanza. El director, Alberto Jiménez Fraud se ganó el respeto de los estudiantes mediante el establecimiento de normas para la vida en común basadas en la confianza mútua.

Miguel de Unamuno fue una de las visitas y conferencistas en la Residencia. Mackay dijo que La Residencia encarnaba el espíritu de Unamuno y tomó para sí el deber de hacer divulgar sus ideas. Allí en La Residencia, Mackay conoció a Juan Ramón Jiménez, el poeta español que ganara el Premio Nobel de Literatura en 1955. José Ortega y Gasset estaba relacionado intimamente con la dirección de La Residencia como miembro de la Junta Directiva. Unos años más tarde en 1920 el dramaturgo español más renombrado de este siglo, Federico García Lorca, vino a Madrid para vivir en La Residencia. Mackay también conoció a Carlos Reyes, Tomás Navarro, Tomás y Amerigo Castro.

Federico de Onís fue uno de los profesores de español de Mackay. Más tarde de Onís llegó a ser profesor de la Universidad de Columbia en Nueva York. Mackay conoció a jóvenes latinoamericanos como Luis Alberto Sánchez del Perú en La Residencia. La amistad de personas de letras en Madrid ayudó a Mackay más tarde a sentirse cómodo dentro de los círculos literarios de América Latina.

Mackay y la influencia de don Francisco Giner de los Ríos

El ambiente intelectual en 1915 en Madrid era estimulante. Eran los días del liberalismo español. Mackay recibió el impacto del gran intelectual, a pesar de la muerte de Giner de los Ríos unos meses antes. Mackay describe el ambiente de La Residencia de la siguiente manera:

"Durante casi un año, viví en el ambiente intelectual de don Francisco Giner de los Ríos y en amistad íntima con sus discípulos. Unos quince años más tarde estos llegaron a ser los fundadores de la República Española. Sin un tinte de comunismo en su pensamiento o en sus actitudes, fueron liberales de lo más puro y noble, quienes jamás participaron en la política como si fuera un juego. Hoy día ellos han muerto o se han esparcido por el mundo entero". (8)

Mackay menciona a este personaje, don Francisco Giner de los Ríos con gran detalle en *El otro Cristo español.*

"Don Francisco era un andaluz procedente del romántico y viejo pueblo morisco de Ronda. Habiendo llegado a Madrid, todavía joven, allá por los años sesenta del siglo pasado, ejerció entre la juventud un apostolado que duró más de cincuenta años, primero como profesor de leyes en la Universidad, y más tarde como fundador y alma del Instituto Libre de Enseñanza en establecimientos del Estado. Giner murió en 1915 conversando hasta el fín acerca del resplandor y las visiones de su juventud".

(9)

Giner infundió un nuevo espíritu en la vida y educación española, o quizás debiéramos mejor decir, que lo resucitó, tras haber permanecido muerto durante muchas generaciones.

Era el espíritu del compañerismo sagrado en la prosecución de la verdad que inspira *Los Nombres de Cristo* de Fray Luís de León. Don Francisco fue un amigo de sus alumnos y su influencia sobre ellos fue más grande aún fuera del salón de clase que dentro de este. Cuando se reunían él hablaba con ellos en su hogar o durante largas excursiones por el país, a unos les traía el recuerdo de Sócrates y a otros el de San Francisco de Asis".

"Azorín hace una deliciosa descripción de don Francisco con estas palabras:

La imaginación se echa a volar, y vemos una amplia casa aristocrática, y en ella, una rica biblioteca y unas anchas estancias, apartadas del bullicio, en que viven, en amigable comercio con las musas, un hombre docto y bueno y unos muchachos llenos de ilusiones y de esperanzas". (10)

Una parte de la contribución de Giner a la nueva generación española fue proporcionar becas para que los estudiantes pudieran ir a estudiar en el extranjero, especialmente a Alemania. Otra contribución fue la organización de cursos de posgrado especial para españoles y extranjeros sobre la historia y literatura española. Estos cursos se dieron en una institución que el mismo fundó en el Centro de Estudios Históricos en Madrid. Giner estableció residencias y hogares estudiantiles para ambos sexos en donde se admitían a estudiantes escogidos procedentes de toda España. Giner había recibido una fuerte influencia, en Alemania, del movimiento Krauista, un movimiento casi protestante.

Fue en una de estas instituciones, La Residencia de Estudiantes, que Mackay tuvo la oportunidad cultural definitiva de toda su vida. Fue allí que se despertó en él una pasión por España y todo lo español y le enseñó a esperar con fé el renacimiento de aquél antiguo país. Giner de los Ríos acababa de morir cuando Mackay llegó a Madrid, pero su espíritu saturaba el ambiente.

Giner era en vida personal un santo, pero nunca encontró hogar espiritual en la Iglesia Católica Romana. Se sepultó a don Francisco en el cementerio civil de Madrid porque la Iglesia de sus mayores rehusó colocar sus huesos en un sitio de reposo junto a sus seres queridos. Mackay comenta que:

"...fue sepultado, como Cristo, fuera de los muros de la tradición religiosa de su pueblo..." (11)

Mackay y Miguel de Unamuno

Sin duda el personaje que más impresionó a Mackay fue Unamuno. Mackay le llamó el escritor español de la literatura más notable desde el "Siglo de Oro" de los siglos XV y XVI. Unamuno fue un amante apasionado de España y un intérprete vigoroso y orgulloso del Quijote de Cervantes.

Para Mackay, don Miguel fue "la encarnación de España y del espíritu español".

Juan A. Mackay conoció este distinguido poeta y filósofo vasco en La Residencia de Estudiantes en 1915 y después lo visitó en Salamanca en diciembre del mismo año. En el año 1914 don Miguel había sido echado de su puesto como rector de la Universidad de Salamanca pero continuó como luz y guía para muchos hasta su exilio. Pero ¿quién era don Miguel y por qué fue una figura tan controvertida en la España de esa época?

Don Miguel, nacido en 1864, en la ciudad cantábrica de Bilbao, perteneció al tronco étnico más primitivo de la península Ibérica. Don Miguel, como niño, soñaba en ser un santo, pero llegó a serlo de un tipo bien diferente de lo que soñaba en su mocedad. Unamuno llegó a Salamanca en 1891 como profesor de griego. Durante más de treinta años, este profeta vasco hizo retumbar su mensaje en el aula universitaria, en las salas públicas y en la página escrita. Brotaban de su pluma ensayos, poemas, novelas y disertaciones filosóficas. No hubo cáncer corrupto que él no denunciara, ídolo popular que no hiciera pedazos y problemas candentes con los que no se enfrentara. El fue uno de los intelectuales españoles que llevaron a Cristo y a la iglesia al centro del debate público en forma crítica y polémica. Según Mackay:

"Don Miguel se hizo un rebelde, un santo rebelde cristiano, el último y el mayor de los grandes herejes místicos de España. En Giner de los Ríos vemos y oímos al Cristo que enseñaba a sus discípulos en las laderas de las colinas de el plácido mar galileo. En Unamuno vemos a Aquél que arrojó a los mercaderes del templo, que anatemizó a los jefes religiosos hipócritas, lloró amargamente sobre Jerusalén y agonizó después en el Jardín de Los Olivos y en la cruz; el Cristo que luego se levantó de entre los muertos para reanudar la lucha redentora en las almas de sus seguidores". (12)

"El pensamiento de Unamuno halla su centro en dos principales ideas que se revisten de significado religioso: la de vocación o misión, y la de la lucha agonizante, especialmente la lucha para vivir eternamente. La verdad se revela y la vida se cumple sólo sobre el camino cuando uno marcha hacia adelante y es leal a la visión celestial. Unamuno decía que el gran problema de la civilización moderna no es la distribución de la riqueza, sino la distribución de las vocaciones. Un hombre comienza a vivir cuando puede decir con don Quijote: 'Yo sé quien soy'.

"Otros pueden tenerle por loco, pero para él la vida tiene un sentido. Toda tarea ha de emprenderse con un sentido religioso de su importancia. Si la tarea particular a un hombre no le satisface, que la cambie por otra, pero que trabaje en algo en que pueda poner su alma entera. Que se esfuerce, además, por hacerse insustituíble en la vida de aquellos en cuyo interés sirve. Para hacerlo se necesita el más completo abandono y sacrificio en el cumplimiento de su vocación. Escribe Unamuno en uno de sus poemas "Siémbrate":

"En los surcos lo vivo, en ti deja lo inerte...
De tus obras podrás un día recogerte". (13)

Unamuno fue hombre de familia y de ideales personales altísimos. Se le puede describir con dos adjetivos según Mackay: anti-intelectual y no-materialista. Fue intelectual en el sentido más cabal de la palabra pero se opuso a lo que se puede llamar "la deificación o el absolutismo de las ideas". Mackay solía repetir el consejo de Unamuno a los estudiantes de su época:

"Que se enamore con una gran idea, se case con ella, forme un hogar y críe una familia".

Unamuno no perteneció a la Iglesia Católica Romana. Pero para Mackay él fue uno de "los católicos rebeldes" que anhelaba un retorno al cristianismo puro. Unamuno fue amante de las obras de Santa Teresa de Avila y los otros místicos españoles del Siglo XV. Algunos han llamado a Unamuno "el último de los grandes místicos españoles".

En el año 1929 cuando Unamuno estuvo en el exilio en el pueblo fronterizo francés de Hendaya, Mackay le visitó por cuatro días. Mackay relata lo siguiente de su última visita con don Miguel:

"Unas semanas antes de mi visita, un escultor amigo de Unamuno que había hecho un busto del gran novelista Pérez Galdós, hizo también uno de Miguel de Unamuno. El escultor me invitó a ver el busto de don Miguel recién terminado y en un molde de yeso. Tenía una semejanza magnífica. Pero yo pregunté al escultor: ¿Qué es eso en el pecho? por que grabada en el lado izquierdo, sobre la región del corazón aparecía la figura de una cruz. El escultor me contó que antes de secarse el molde, Unamuno fue un día a verlo. Con el dedo trazó el signo de la cruz sobre el lugar en que debería hallarse su corazón, diciendo, ¿qué va a decir la gente de Madrid cuando vean ésto? Respondió el escultor, un poco molesto: no sé, ¿pero no se da cuenta, don Miguel, que esa cruz va a aparecer forzosamente en el bronce cuando se haga el vaciado? Don Miguel se limitó a sonreír en silencio". (14)

Mackay concluye que don Miguel afirmaba así que la cruz, no suelta y pendiente del pecho, sino grabada sobre el corazón fue el verdadero símbolo de su vida y fe.

Miguel de Unamuno fue un cristiano "sin templo", el príncipe de los pensadores cristianos modernos.

Mackay: un intérprete de Unamuno al mundo anglosajón

Unamuno no era muy conocido fuera de España en los años cuando Mackay estudiaba en ese país.Después cuando Mackay llegó al Perú en 1916, se matriculó en la Universidad de San Marcos en Lima para obtener el título de doctor en filosofía; el tema de su tésis doctoral en 1918 fue "*Don Miguel de Unamuno: su personalidad, obra e influencia*". Mackay escribió en su tésis el siguiente perfil de Unamuno:

"Don Miguel de Unamuno está muy lejos de ser un mero literato palabrero profesional. A través de todos los lineamientos de su rubia tez vascongada, lo mismo que en los acentos de su sonora voz y los párrafos palpitantes de sus escritos, aparece, como grabada en letras de molde, la palabra "Hombridad". Palabra acuñada por el escritor portugués, Oliveira Martins, la que apropió Unamuno para cristalizar en ella su concepto de las cualidades que constituyen al hombre ideal. Esta récia figura cuyo constante anhelo es llenar con carne y hueso, con pasión y pensamiento, la idea del hombre verdadero, muy bien podría glorificar un lienzo de Velázquez. Y a consecuencia de lo desarrollado en "hombridad" en el carácter de Unamuno, resulta imposible leer lo que escribe y dejar de formarse acerca de él una opinión definitiva: o se le cree y venera, o se le odia y rechaza con todo el corazón..." (15)

Mackay utilizaba las conferencias sobre Don Miguel en América Latina para facilitar su entrada a los círculos universitarios del continente como misionero en Lima y conferencista con la Asociación Cristiana de Jóvenes durante el periódo de su servicio en América Latina (1916-1932). Sin duda llegó a ser un intérprete extensamente reconocido de Unamuno. Mackay decía que un misionero tenía que ganarse el derecho para ser escuchado en los círculos culturales e intelectuales. Esto es lo que él llama "lo encarnacional". El misionero no debe imponerse sobre los de- más, sino debe entrar en diálogo con personas de otras ideas, orientación cultural y sobretodo con otras ideas religiosas. Las ideas de Unamuno fueron usadas por Mackay para entablar diálogo con la cultura iberoamericana.

Una nota para concluir sobre Mackay y Unamuno

Mackay confesó al autor que nunca envió a Unamuno un ejemplar de su libro *El otro Cristo español* publicado en 1932. En ese libro, traducido al español en 1952, Mackay tiene amplias citas de las obras de Unamuno y eulogías a su persona. Parece que fue por modestia que no envió a Unamuno su libro. Mackay siempre vivió casi en adoración a su gran mentor intelectual.

NOTAS SOBRE EL TEXTO:

1. Veáse Juan A. Mackay "*El Otro Cristo español*", *capítulo 1.*

2. Carmen de Zulueta, "*Misioneras, Feministas, educadoras*", 61

3. Jacques Delpech, "*The Oppression of Protestants in Spain*", 10-11.

4. Humberto Capó en una entrevista con el autor en Madrid 13 de febrero de 1990.

5. Véase James Michener, "*Iberia*", 189-190.

6. Véase John Crispin, "Oxford y Cambridge en Madrid: La Residencia de Estudiantes, 1910-1936 y su Entorno Cultural".

7. Ibid.

8. Juan A. Mackay, en la introducción a "The Oppression of Protestants in Spain", 9.

9. Juan A. Mackay, "El Otro Cristo español", 157

10. Juan A. Mackay op.cit. 157-158.

11. Juan A. Mackay op.cit. 161.

12. Juan A. Mackay op.cit. 162

13. Juan A. Mackay op.cit. 164-165

14. Juan A. Mackay op.cit. 170

15. Juan A. Mackay, "Don Miguel de Unamuno: Su personalidad, obra e influencia", 4.

II. LA PEREGRINACIÓN POR LA AMÉRICA LATINA

A. LIMA (1916-1925)

El embarque

Mackay regresó de Madrid a Inverness en julio de 1916 para casarse el 16 de agosto con Jane Logan Wells, su novia de siete años. Mackay dijo que esperó los siete años como Jacobo para casarse con "su Raquel". La pareja fue comisionada como misioneros educadores por la Asamblea General de la Iglesia Libre de Escocia para establecer una nueva obra en el Perú. El día primero de agosto Mackay había sido ordenado para el ministerio cristiano.

Los recién casados se embarcaron en el vapor CANUT de Londres a Nueva York en Estados Unidos. Era un buque de carga y ellos eran los únicos pasajeros. Era tiempo de guerra y el Océano Atlántico estaba infestado por submarinos hostiles.

Diecisiete días más tarde llegaron a Nueva York. El viaje de Nueva York a el Callao y el Canal de Panamá duró tres semanas. Jane y Juan A. Mackay pasaron nueve años en el Perú regresando a su tierra natal una sóla vez en 1922-1923.

Tres de sus cuatro hijos: Isobel, Duncan y Ruth nacieron en el Perú. Elena nació durante las vacaciones de la familia en Escocia. (IV, 19).

El Perú de 1910 a 1920

¿Cómo era el ambiente socio-político cuando Mackay llegó a Lima?

En resúmen se puede decir los siguiente:

--Augusto B. Leguía había sido presidente electo 1908-12 y más tarde se apoderó del poder por once años gobernando como dictador.

--Guillermo Billinghurst y José Pardo fueron presidentes sucesivamente entre 1912 - 1919. Billinghurst era populista y Pardo fue representante de los grandes propietarios.

--En 1916 el diario "El Tiempo" fue fundado con orientación izquierdista; del partido Civilista nace el "futurista" al cual José Carlos Mariátegui se opone. En 1919 se funda el Comité de Propaganda Socialista.

--A nivel educativo en las universidades comienza a reformularse todo lo que interesa a la vida nacional; se habla de un estado de crisis de la enseñanza pública y la necesidad de un cambio inmediato del sistema; en la Universidad Nacional de San Marcos el movimiento izquierdista establece su presencia, y Haya de la Torre es elegido como su secretario.

--Leguía deja entrar a las compañías norteamericanas Cerro de Pasco, Standard Oil y W.R. Grace y Compañía y se reducen las inversiones inglesas. Leguía tiene fachada de humanitario pero viola la Constitución y los derechos humanos cuantas veces quiere. En 1919 se produce la primera huelga petrolera en el norte que termina en hechos sangrientos debido a la intervención policiaca.

--Manuel González Prada y sus discípulos José Carlos Mariátegui y Victor Raúl Haya de la Torre denuncian el colonialismo, tradicionalismo y clericalismo que dominan la vida de aquella época. Escribe González Prada:

"En el Perú, hay dos grandes mentiras: la república y el cristianismo... la mayoría de los peruanos no tiene seguridad en cuanto a su persona. Hablemos de la caridad cristiana y somos cómplices de la crucifixión de una raza. Nuestro catolicismo es un paganismo inferior... nuestra forma de gobierno debe ser llamada la extensión de la Conquista y el Virreinato". (1)

--En 1923 Leguía consagra al Perú al Sagrado Corazón de Jesús lo que provocó la oposición de los masones, los anarcosindicalistas, los pseudoliberales, los protestantes y sobre todo de los universitarios izquierdistas.

--En el mundo protestante, regresaron los delegados peruanos de la Primera Conferencia de Obra Cristiana celebrada en Panamá en febrero de 1916 con una nueva visión de cooperación evangélica en la nación; en abril de 1916 organizaron la primera consulta de evangélicos en el Perú en que se dividieron los campos misioneros entre las diferentes iglesias para evitar roces.

Los cimientos de la obra protestante peruana tenían sus bases en la obra de un largo linaje de colportores bíblicos empezando con Diego Thomson en 1821-22 y la obra monumental de Francisco Penzotti entre 1884-1891. El primer templo evangélico fue construido en 1886 el cual a propósito no tiene apariencia de templo. (2) Los esfuerzos también del obispo metodista Guillermo Taylor y de la Unión Misionera de Sud América en varias ciudades extendieron el impacto del cristianismo evangélico. Según Wenceslao Bahamonde, historiador del protestantismo peruano, el día 28 de marzo de 1891 cuando Penzotti fue liberado después de ocho meses de prisión en El Callao, es cuando la tolerancia religiosa fue de veras establecida en el Perú.

--En el mundo literario latinoamericano, Ruben Darío, poeta nicaraguense y el primer latinoamericano que ganó el premio Nobel acababa de morir (1867-1916) dejando su concepto del "Cristo que camina, flaco y débil por las calles. Barrabás tiene sus esclavos... en la mente de sus seguidores". Gabriela Mistral (1889-1957), la maestra católica chilena, publicó en 1922 su primer libro y fue llamada por José Vasconcelos a colaborar en la reforma pedagógica en México. José Enrique Rodó, el uruguayo, (1872-1917) había publicado *Ariel* que asignó el papel de Ariél a la América Latina y el de Calibán a Los Estados Unidos de Norte América. (3).

¿Dónde comenzar la nueva misión?

La Iglesia Libre de Escocia delegó a Mackay la decisión de escoger el lugar y la estrategia para comenzar la obra educativa misionera en el Perú. También había acordado establecer una obra médica en otra ciudad del Perú. A pesar de la escasez de fondos debido a la guerra, Mackay presentó en Escocia a la Asamblea General, después de su viaje exploratorio en 1915, un llamado tan elocuente que recibió los fondos necesarios para establecer la nueva misión. Su mensaje titulado "El informe de un espía" había convencido a la Iglesia Libre que "El Perú era buena tierra para conquistar, a pesar de los cuatro gigantes: la codicia, la embriaguez, la idolatría y la ignorancia". (4)

La libertad de culto fue promulgada en el Perú en 1915 de modo que las oportunidades para el culto protestante y la obra educativa por medio de colegios fueron ahora sin igual en la historia del país. Cuando llegaron los Mackay en 1916 ya se habían establecido catorce sociedades y agencias misioneras. (5)

Mackay estaba convencido que debía radicarse en Lima, centro intelectual de la nación y sede de una institución de renombre, la Universidad Nacional de San Marcos y la universidad más antigua del hemisferio occidental.

Existía en 1916 una pequeña escuela primaria con unos treinta alumnos que el misionero escocés John Ritchie había establecido unos años antes. Ritchie perteneció a La Sociedad Misionera de las Regiones de Ultramar. El nuevo colegio fue llamado el "Colegio Anglo Peruano" y su lema fue *Timor Domini initium Sapientiae*, ("El temor de Dios es el principio de la sabiduría") el mismo lema de la Universidad de Aberdeen. Los Mackay implantaron el uso del español como la única lengua del colegio, marcando así un cambio en la estrategia tradicional misionera del país. La enseñanza del inglés en los colegios protestantes se había usado como manera de atraer alumnos. Los Mackay estaban convencidos que con el uso del español y de profesores peruanos el Colegio Anglo Peruano podía ofrecer a los estudiantes las riquezas culturales de su herencia en su propio idioma. Esta decisión resultó ser una táctica excelente porque los egresados del Colegio del nivel secundario podían seguir los estudios universitarios por la integración del plan de estudios del Colegio Anglo Peruano con el plan oficial del Ministerio de Educación. Varios de los graduados del Colegio Anglo-Peruano y de la Universidad Nacional de San Marcos llegaron en pocos años a ocupar puestos importantes en la vida nacional. Para el año 1922, el Colegio tenía más de trescientos cincuenta alumnos.

Las multiples tareas de la administración escolar

Mackay cuenta que durante sus primeros años en el Perú, fue director de "un circo de tres arenas": los problemas administrativos de un plantel de doscientos jóvenes; la dirección de los aspectos académicos del colegio y la tarea de la disciplina. Mackay dice que sin los dones y la preparación profesional de su esposa, no hubiera podido dirigir la institución. Jane Mackay fue muy experta en la organización del plan de estudios y en la preparación de los maestros de educación primaria. Más tarde cuando el internado se amplió, ella se encargó de su dirección.

Los Mackay sabían bién del método impositivo de la estrategia misionera de su época. Según W. Stanley Rycroft, este método, descrito francamente, se basaba en la convicción de muchos misioneros europeos y norteamericanos que su misión era llevar a otros paises el Evangélio y su propia cultura e imponerlos sobre la cultura de otras naciones. Muchas veces los misioneros impusieron sobre la gente su manera de vivir, sus valores, su forma de culto, sus doctrinas y su arquitectura eclesiástica. Mackay resolvió utilizar otro método "el encarnacional" y no intentar reproducir "el presbiterianismo escocés" en Sudamérica". (6)

Durante el día Mackay se dedicaba a los problemas prácticos del Colegio; por un lado, el arreglo del alcantarillado y, por otro lado, la amenaza de una huelga estudiantil. Siempre tuvo que enfrentar los problemas de disciplina de los estudiantes. Se dice que Mackay mantuvo siempre una postura fuerte con cualquier estudiante culpable; pero si su ira brotaba de repente, el perdón no se hacía esperar y "el pecador era restaurado dentro de los lazos de la amistad" (7)

El Colegio Anglo Peruano funcionaba en un plantel viejo, compuesto de varias casas adquiridas a medida que el colegio crecía. En 1930 fue construido el primer edificio permanente en la Avenida Petit Thours para el Colegio. (8) El Presidente Leguía asistió a la inauguración. En 1925 cuando los Mackay se trasladaron a Montevideo, el curso completo de liceo estaba funcionando. El Colegio Anglo Peruano tomó el nombre "Colegio San Andrés" en los años 1940 cuando el gobierno decretó prohibir el uso de las palabras estranjeras en el nombre de un colegio.

Mackay invitó a profesores de Inglaterra, Escocia y Nueva Zelandia para enseñar en el Colegio. Entre los que llegaron de Inglaterra estaba W. Stanley Rycroft quien iba a seguir a Juan A. Mackay a los Estados Unidos de Norte América en 1940 para ocupar en Nueva York el puesto de Secretario para el Comité de Cooperación en la América Latina. Stanley Rycroft obtuvo también el grado de doctor en Filosofía y Letras de la Universidad Nacional de San Marcos en 1939.

Durante los años 1950 - 1960 Rycroft actuó como Secretario para América Latina de la Iglesia Presbiteriana de Estados Unidos y de 1960 - 1967 como Secretario de Investigaciones de la misma junta.*

Los Mackay y su identificación con la comunidad peruana

En una entrevista en 1975, Mackay habló con Gerald Gillette sobre los contactos que tenía con la cultura peruana:

"Muchos de los misioneros antes de nosotros se mantuvieron en contacto íntimo con la comunidad de habla inglesa. Pero nosotros no nos relacionamos con la comunidad inglesa, sino con la peruana. En otras palabras, hubo "una encarnación". Lo llamo así, porque llegamos a ser uno con ellos y nos consideramos peruanos. Los ingleses y escoceces tenían sus propios negocios, su pastor y su propia existencia aparte de los peruanos. Los ingleses nos invitaron a su iglesia, pero resolvimos organizar un culto en nuestro colegio y en español, un culto sencillo de estudio bíblico en el patio del colegio los domingos. La reunión comenzaba con oración y después del estudio bíblico había oportunidad para preguntas..." (IV, 19-23)

---

* Nota: La amistad entre Stanley Rycroft y Juan A. Mackay fue siempre una relación íntima y colegial en todo sentido. Durante los años de jubilación de los Mackay en Highstown, New Jersey (1970-1983), los Rycroft vivieron a unos kilómetros de distancia de los Mackay en Jamesburg, New Jersey. Stanley Rycroft cumplió 91 años en abril de 1990 y mantiene un interés profundo en todo lo relacionado con América Latina y el movimiento ecuménico. (9) Margaret Robb de Rycroft es anglo-peruana de nacimiento y una persona soñadora de un renacimiento socio-político y espiritual de su país de orígen.

Mackay intentó dejar un impacto sobre la juventud peruana por medio de una educación completa que inculcó los principios que forman el carácter cristiano. La educación tenía que ocuparse con el proceso de vivir y ofrecer un desarrollo integral del cuerpo, la mente y el espíritu. La educación ha de poner un énfasis sobre los deportes, de acuerdo con la mejor tradición inglesa y mantener un alto calíbre académico y una dimensión espiritual basada en la fe cristiana. (10)

Mackay resumió su filosofía de educación cristiana en estas tres afirmaciones: "El principio pedagógico es que la escuela es para el alumno; el principio sociológico es que el alumno es para la vida; y el principio trascendental que la vida es para Dios".

Al principio, los Mackay vivieron en el mismo colegio, pero después arrendaron una casa a unos kilometros del colegio. Siempre había un grupo de estudiantes viviendo con ellos, a veces hasta once o doce. Los Mackay tenían varios empleados para ayudar a atender el trabajo en una familia tan grande con sus propios niños y los estudiantes de la escuela.

Para afianzar el prestigio del Colegio y para mejorar sus propios conocimientos, Mackay se matriculó en la Universidad Nacional de San Marcos. A los dos años presentó la tesis sobre Miguel de Unamuno que le calificó para ganar el título de doctor en literatura. Mackay dijo que fue el primer extranjero en recibir un título académico de literatura en la Universidad de San Marcos. La tesis se tituló: "Don Miguel de Unamuno: Su personalidad, Obra e Influencia". Los contactos en la Universidad de San Marcos no solamente le inspiraron en su desarrollo intelectual, sino que además sirvieron para el bien del Colegio. Por medio de estos contactos con la Universidad le fue posible conocer y contratar a profesores peruanos capaces para enseñar en el Colegio. Entre ellos había algunos peruanos distinguidos: Raúl Porras Barrenechera, Jorge Guillermo Leguía, Manuel Beltroy, Erasmo Roca y Victor Raúl Haya de la Torre. Los contactos también ayudaron al aumento de la matrícula en el Colegio de hijos de profesores. Antes de salir del Perú en 1925, Mackay fue invitado para ser profesor de filosofía contemporánea y metafísica en la Universidad de San Marcos.

Por un breve tiempo también fue director del Departamento de Filosofía y Letras.

Entre los amigos de ese período se cuentan personajes como Luis Alberto Sánchez, Victor Raúl Haya de la Torre, Raúl Porras Barrenechea, Alberto Arca Parró, Jorge Guillermo Leguía, Erasmo Roca y Miró Quesada. También Mackay escuchaba con atención la voz de José Carlos Mariátegui, joven intelectual socialista, que ejerció una influencia fuerte en su época y hasta nuestros tiempos en el pensamiento de Gustavo Gutierrez. (11) Mariátegui fue muy crítico del imperialismo y aportó un análisis indispensable del Perú y de la América Latina especialmente de los factores religiosos en el orden socio económico.

Mackay fue amigo de Mariátegui, jóven periodista, quien sin ser marxista diálectico, trató de reformular el marxismo a la luz de la realidad peruana. Mackay dedica algunas páginas de su libro *El otro Cristo español* a la influencia de Mariátegui. Y en diciembre de 1925 Mackay le escribió una carta amigable y pastoral cuando este se encontraba desterrado y enfermo en el Uruguay. Una parte de la carta decía : "...Cuando pienso en usted y en la lucha contra las dificultades que hundirían a cualquier otro, solo por estar consagrado a una causa en que cree entrañablemente, yo me siento más fuerte para mi propia obra... Me complazco en enviarle una copia de mi libro *Más Yo os digo*". (Juan A. Mackay a José Carlos Mariátegui, noviembre 1, 1925). (11)

Mackay alcanzó a un grupo de intelectuales jóvenes que había perdido la fe en "su primer maestro", Gonzálo Parda, por ser de tendencia violenta y anarquista. Mackay llegó a ser "el maestro" de la generación de los 1920, y según Luis Alberto Sánchez fue modelo para orientar a los intelectuales a un compromiso social. Sánchez llamaba a Mackay "el maestro de la humanidad".

Mackay también fue intérprete de la cultura anglosajona a los peruanos en los círculos intelectuales de Lima. Escribió artículos para el periódico "El Mercurio Peruano" sobre Woodrow Wilson y David Lloyd George llamándoles "demócratas que habían aprendido su manera de gobernar a los pies de Jesús, el gran demócrata de Judea y personas quienes habían recibido de El la inspiración para trabajar por la justicia en el mundo". (12)

Mackay también señaló la importancia del estudio de la literatura inglesa. Según Mackay, los comerciantes ingleses en el Perú no habían comunicado a los peruanos la grandeza de la literatura de su propia cultura inglesa. Mackay hizo mucho énfasis sobre las obras de Woodsworth y los otros poetas ingleses o "laquistas" como él les llamaba . (13)

Mackay fue amigo y un "crítico benéfico" de la vida universitaria como educador. Escribió en el año 1920 un artículo sobre la falta de un sistema de organización en la universidad, la ausencia de una preocupación por el bienestar estudiantil, los bajos sueldos de los profesores y el énfasis mayormente sobre las carreras profesionales a costo del contenido cultural. (14)

Mackay y La "Protervia"

Mackay perteneció a un grupo de intelectuales llamado "La Protervia". Un miembro del grupo, Luis Alberto Sánchez, habló en 1973 de "La Protervia" "...de puro ser bueno le llamaban la Protervia, las paradojas se suelen hacer... los buenos quieren parecer malos y los malos quieren parecer buenos. Y como era una reunión de almas del Señor, algunos no tan del Señor... pero de todos modos lo mismo da en este caso... Mackay concurría sistemáticamente a las reuniones de la Protervia..." (Luis Alberto Sánchez, "Juan A. Mackay y la Educación Peruana", *Leader*, 1970, 64). El presidente del grupo fue Victor Andrés Belaunde, cuyo hermano llegó a ser Presidente de la República. (IV,18)

Durante el primer año en Lima conoció por medio de este grupo a José Galvez, intelectual eminente quien en aquel tiempo fue Alcalde de Tarma y más tarde el Vice Presidente de la

República. En una ocasión cuando Mackay estaba de vacaciones en Tarma fue invitado por Gálvez a presentar dos conferencias en el Teatro Municipal. El tema de una conferencia de Mackay fue "La Profesión de Ser Hombre" o lo que significa ser hombre. En otra ocasión fue invitado en Cajamarca para dictar una conferencia sobre "Los Intelectuales de Los Nuevos Tiempos". (15) En la primera conferencia habló sobre el hombre verdadero desde la perspectiva de los místicos españoles y Miguel de Unamuno, dejando en relieve el concepto de "hombría" en la cultura tradicional española en contraste con el concepto bíblico de ser hombre. En la segunda conferencia habló del intelectual verdadero quien no se desliga de la vida y la realidad sino que se identifica con las luchas existenciales de la humanidad. (IV,18)

Mackay, Haya de la Torre y problemas políticos (16)

Mackay pasó nueve años en el Perú, la gran parte de esos años durante la dictadura de Augusto B. Leguía (1919-1930). El ambiente político siempre fue turbulento. Victor Raúl Haya de la Torre, el fundador del partido izquierdista APRA como estudiante universitario, fue profesor en el Colegio Anglo Peruano durante los días de sus estudios en la Universidad Nacional de San Marcos. Así era la costumbre de trabajar de muchos estudiantes para poder enfrentar los gastos de sus estudios. Haya de la Torre fue líder de la huelga de estudiantes y trabajadores en 1923 contra la consagración de la nación al Sagrado Corazón de Jesús por el gobierno del Presidente Leguía. Mackay relata el problema político creado por su amigo:

"Victor Raúl Haya de la Torre nos metió en un gran problema. El gobierno le buscó por todas partes por su participación en un disturbio universitario. Raúl estuvo escondido en el internado del Colegio Anglo Peruano en el barrio Miraflores durante cinco semanas". (17) (IV, 24-25)

Años más tarde en 1931 Mackay estuvo de visita en Lima cuando Haya de la Torre estaba encarcelado después de haber perdido en las elecciones presidenciales. Hubo aún la posibilidad de un linchamiento. Entonces Mackay usó su prestigio personal con algunos viejos amigos y con el mismo embajador británico para proteger a Haya de la Torre de la violencia pública.

Para entender la posición política de Haya de la Torre y de otros líderes de la izquierda de su tiempo, hay que considerar lo radical de los cinco puntos principales de la plataforma APRIS-TA:

1. Oposición al imperialismo yanqui.

2. Unidad política de la América Latina.

3. Nacionalización de las industrias y las tierras.

4. Internacionalización del Canal de Panamá.

5. Solidaridad con los sectores oprimidos del mundo. (18)

Mackay explicó a Haya de la Torre cómo los profetas de la Bíblia y cómo Cristo mismo había luchado a favor de los cambios profundos y radicales en la sociedad. Mackay hablaba mucho de su amistad con "Don Victor Raúl" pero lamentaba también que Haya de la Torre más tarde pareció haber cambiado de rumbo, llegando a ser un político en el sentido tradicional. Durante los largos años del exilio de Haya de la Torre, Mackay le visitó en Alemania en 1929 y en Panamá en 1947.

Parece que Mackay siempre fue considerado como sospechoso por el gobierno y mirado como alguien que estaba a favor de los partidos de la izquierda. En cierta ocasión Mackay estuvo fuera de Lima en un viaje a Argentina y Chile para presentar conferencias en la Asociación Cristiana de Jóvenes. Cuando regresó al puerto de El Callao, las autoridades peruanas le negaron el permiso de desembarque. Mackay tuvo que permanecer a bordo varias horas hasta que el cónsul inglés intervino para facilitar su desembarque.

Es de notar que en el año 1961 durante su última visita a Lima cuando recibió el premio "Las Palmas Magisteriales" del Gobierno del Perú y al mismo tiempo presentó un discurso en la Segunda Conferencia Evangélica Latinoamericana, Mackay fue denunciado públicamente por elementos ultraderechistas como "comunista". Se dice que Carl Mc Intire y sus adeptos enviaron antes de la conferencia un telegrama de denuncia a la policía secreta peruana. Mackay fue detenido por la policía durante varias horas, pero le soltaron en seguida cuando supieron que "el preso" acababa de recibir el premio de alta distinción del Ministerio de Educación del país.(19) Juan A. Mackay siempre fue identificado con los movimientos de reforma política en el Perú.

"Me recibieron en sus corazones..."

Los profesores y estudiantes se quedaron atónitos al saber que este "gringo" escocés fue a España para aprender bien el español y estudiar la cultura hispana. Fue también casi increíble para los peruanos que un misionero protestante hubiera conocido a don Miguel de Unamuno y otros intelectuales españoles contemporáneos.

Así, Mackay se ganó la simpatía y amistad del pueblo peruano por su trato tan amigable con la gente y el dominio casi perfecto del castellano. El solía decir que muchas veces se expresaba con mayor facilidad en español que en inglés. El dominio del español no fue debido a cierta facilidad innata para los idiomas, sino a su disciplina de estudio. La señora de Mackay recuerda cómo en los primeros días en el Perú su esposo se sentaba a la mesa con el libro de español delante, una gramática y un diccionario a su lado y la comida "por ahí". Según la familia y los amigos íntimos, Mackay nunca se preocupó mucho por los detalles de la vida cotidiana. Mackay dijo que "todas las actividades de costumbre en la vida diaria se deben reducir para poder dedicar la mente a las cosas que uno considera las más importantes". Por eso algunos que conversaron con él decían que al hablar con Juan A. Mackay les parecía que su mente estaba concentrada en otras cosas. Se cuenta que en cierta ocasión un amigo le informó que su suegra acababa de fallecer. Mackay respondió, con entusiasmo, mientras pensaba en otra cosa, ¡Qué bien, qué bien!"

Uno de sus amigos de trabajo dijo que Mackay podía recordar los detalles de una reunión ecuménica en 1928, ¡pero que él nunca recordaba en donde había dejado el sombrero hacía cinco minutos! Una secretaria privada de Mackay solía tomar en cuenta todas las mañanas el color del traje que llevaba para poder decirle más tarde en qué traje debía buscar algún documento extraviado. (20)

Mackay y su desarrollo intelectual

Durante los años en Lima, Mackay estuvo reflexionando sobre ciertos temas de la historia espiritual de España y América Latina que más tarde presentó en el año 1932 en su obra *El otro Cristo español*. Durante los años limeños Mackay refinó sus pensamientos que llegaron a formar la tesis de aquel libro: "El Cristo que nació en Belén fue encarcelado en España por la Inquisición y un Cristo "español" llegó a America Latina con los conquistadores. Queda por hallarse "el otro Cristo español".

Mackay fue lector insaciable madrugando para leer una cantidad de libros escogidos que coleccionaba continuamente en diversos campos de la literatura, poesía, política y filosofía. Entre sus autores predilectos estuvieron T.S. Eliot, William Blake, Sören Kierkegaard, Blaise Pascal y siempre su admirado Miguel de Unamuno.

El estilo literario pulido de Mackay no era accidental. Al contrario era el resultado de mucha disciplina en el trabajo. Se dice que él hacía su trabajo mejor bajo la presión de plazos por concluir. Mackay revisaba interminablemente los borradores de sus artículos y libros. En una ocasión él dijo a su secretaria que

Platón revisó su *Apología* unas noventa veces. Mackay también tenía la costumbre de revisar por la quinta vez el borrador de un discurso mientras estaba trabajando en el tercer borrador de otro artículo. (21)

Este erudito escocés fue también observador constante de la vida a su alrededor. Tenía el don de captar los indicios de renacimiento espiritual en las vidas de otras personas y de percibir el principio de movimientos espirituales de su época. Cuando Mackay se dió cuenta de la pobreza espiritual del liderato del Perú, escribió estas líneas en 1924:

"¿Cómo es que el Perú tiene tan pocos hijos que le aman con el amor del poeta de fuego profético? Alguien podría decir que el Perú nunca se ha fundido como nación y que el país carece de una alma nacional y de una individualidad determinada. El Perú nunca se ha conmovido profundamente para hacerse las preguntas acerca de la vida y del destino...En otras palabras, nunca ha tomado en serio el factor religioso..." Continuó refiriéndose a las palabras que Unamuno usó al referirse a España, que "'al Perú le faltaba más que cualquier cosa el sentido religioso de la vida'". (22)

No fue de extrañar entonces, que Mackay fuera invitado para hablar en la Conferencia Evangélica Sudamericana en Montevideo en 1925 sobre el tema: "Problemas Particulares de Religión en la América Latina".

Un nuevo llamado: Mackay sale de Lima

De la Asociación Cristiana de Jóvenes vino una invitación a Mackay para ser conferencista continental con sede en Montevideo. Mackay relata en 1975 acerca de la entrevista con Gerald Gillette sobre su decisión al respecto:

"Resolví que había cumplido el trabajo de establecer un colegio para niños y jóvenes en Lima. Ya los primeros graduados estaban matriculados en la Universidad. Se había asentado un

modelo y otras personas podían ahora reproducir este modelo".
(IV. 26)

El Colegio Anglo Peruano ya estaba en marcha y Mackay fijó la vista en los planteles universitarios del continente como "campos listos para la siega". El había experimentado con la estrategia de "conferencias sin culto" lograr entrada a los círculos universitarios. Sintió el desafío de una nueva frontera. "La Mano de Dios" que había sentido en su hombro hacía ya más de veinte años le impulsó a que tomara de nuevo "El Camino" un nuevo camino de servicio cristiano.

En el año 1939 escribió en retrospecto: "Cuando salí del Perú en 1925 para asumir el trabajo de evangelismo bajo los auspicios de la Asociación Cristiana de Jóvenes, me dí cuenta de que iba apareciendo una grieta en la historia humana. Me hice consciente de la realidad de un abismo profundo en la marcha de la humanidad. Sudamérica fue el último lugar en el mundo donde se pensaba anticipar tal atraso en el progreso. Los grandes escritores sudamericanos habían proclamado que su continente era "donde eventualmente desaparecerían los odios de Europa y los fanatísmos de Asia..." (23) Mackay estaba listo para tomar de nuevo "El Camino".

B. SERVICIO CON LA ASOCIACIÓN CRISTIANA DE JÓVENES

Montevideo 1925-29; La Ciudad de México 1930-32

EL CONO SUR 1926 - 1932

En Uruguay la era de José Batlle y Ordoñez (1903-1929) empieza a llegar a su fin. El fue la fuerza que conformó de una pequeña nación un modelo político, como Suiza, con programas quasi-socialistas. En Argentina el oligarco Marcelo T. de Alvear

(1922-1928) mejoró el prestigio nacional entre las naciones hasta la vuelta al poder del anciano Irigoyen, preso de sus socios. Pero para el año 1930 el país resonaba con el grito: "Abajo el armadillo".

En Paraguay, había una "paz intranquila" entre una población de apenas 800,000, y 90% de analfabetos. En diciembre de 1928, estalló la infame Guerra del Chaco que haría sangrar al país hasta el año 1936.

En la costa occidental del Cono Sur, después de la restauración de la democracia bajo Arturo Alexandri en Chile en 1925 se concretó definitivamente la separación entre el Estado y la Iglesia. Para el año 1931, después del exilio de Alexandri, el general Carlos Ibañez invirtió grandes recursos del Estado en proyectos dudosos y gobernó con mano fuerte.

En el mundo protestante, se celebró el Congreso Evangélico de Montevideo en 1925 con representantes de dieciocho países sudamericanos. En el mundo católico, todavía no se había organizado la Acción Católica en el Cono Sur para tocar la conciencia social del catolicismo.

MÉXICO 1926 - 1932

Ortiz Rubio calentaba el sillón presidencial en México (1929-32), firmando los decretos que Calles había dictado. Los gritos de la Revolución bajaron a un suspiro ronco..." (24)

Herbert Hoover era presidente en los Estados Unidos de Norte América, nación en bancarrota... y la oligarquía criolla y los terratenientes en América Latina sintieron profundamente la crisis bancaria de"Wall Street" en 1929.

Dentro de la Iglesia Católica se estableció la Acción Católica Cubana en 1929... y la primera Jornada Social Obrera, movimiento de sindicatos agrícolas en Jalísco, México en 1923. En el mundo protestante, regresaron de La Habana en 1929 los delegados mexicanos del Congreso Evangélico del Caríbe, México y América Central.

En resumen, el período de 1926-32 fue el tiempo de los principios de nuevos movimientos dentro de la sociedad y las iglesias, pero no hubo definición clara de la dirección de estos cambios. Dentro de este concepto, se fortaleció un nuevo movimiento llamado la Asociación Cristiana de Jóvenes. Su literatura lo presentaba como "un movimiento libre de toda limitación sectaria".

La Asociación Cristiana de Jóvenes

La Asociación Cristiana de Jóvenes (A.C.J.), nació en 1854 debido a la visión de George Williams en Chicago. Para el año 1858 había crecido al punto de que se formó en París una "alianza mundial" que elaboró un documento orientador llamado "El Pacto de París". La orientación fue cristiana en el fondo, pero no-sectaria en su implementación. En el año 1914 se organizó en Montevideo la Federación Sudamericana de la ACJ con centros principales de actividad en México, La Habana, Lima, Santiago, Montevideo, Buenos Aires y varias ciudades del Brasil. Un "instituto técnico" fue establecido en Piriápolis en 1922, cerca de Montevideo, para capacitar personal para las asociaciones nacionales del continente.

Conferencias "sin culto" por el continente

A pesar de ser "un movimiento libre de toda limitación sectaria", la ACJ se comprometió en una misión de servicio, desarrollo individual y proclamación. No fue iglesia pero sí se basó en "el triángulo rojo" del crecimiento de cuerpo, mente y espíritu. Mackay fue designado "secretario para la obra religiosa" de la Asociación con sede primero en Montevideo y para viajar por los centros universitarios del continente. El utilizó el método de "conferencias sin culto" en que presentó los temas bíblicos sin el uso de las oraciones ni los himnos.

El hecho de haber dejado la obra educativa en Lima, no fue índice de un cambio de vocación, sino un cambio del campo donde llevar a cabo su ministerio. Mackay vió a la Asociación Cristiana de Jóvenes como una puerta abierta para hacer llegar el mensaje del Evangélio a los estudiantes del continente. El dijo que los secretarios colegas de la ACJ eran"representantes de una hermandad cristiana internacional...misioneros, dirigidos por el Espíritu de Cristo para buscar la transformación total de la vida". (25)

En el año 1927 escribió un librito acerca de la filosofía de la Asociación Cristiana de Jóvenes. En la primera parte Mackay habló del énfasis bien conocido sobre el crecimiento del cuerpo, mente y alma. En la segunda parte, el evangelista Mackay presentó el énfasis bien definido sobre "el sentir del discipulado cristiano". Este librito lleva el título "En Búsqueda del Ideal Cristiano". (26) En el año 1927 publicó un libro de estudios sobre las parábolas de Jesús *Mas yo os digo*. Otro libro *El sentido de la vida* publicado por primera vez en 1931 es su libro con mayor circulación. La cuarta edición fue impresa en Lima en 1988.

Mackay y las reformas universitarias

Uno de los primeros compromisos que Mackay tomó en la obra misionera fue con las reformas universitarias en el Perú. Este compromiso se ve claramente declarado en un artículo escrito en 1920 "Student Life in a South American University" (Vida Estudiantil en una Universidad Sudamericana). (27) El observó en el sistema universitario la falta de organización para el bienestar estudiantil, el énfasis sólo en la preparación profesional y utilitaria y los salarios bajos de los profesores. Muchos de ellos tenían que trabajar de noche en otras ocupaciones para sostenerse. También Mackay se hizo solidario con los estudiantes que fueron castigados cuando protestaban contra ciertas injusticias del sistema.

El movimiento de los estudiantes peruanos fue uno de los muchos resultados que hubo por toda la América Latina a raiz de "La Declaración de Córdoba" de 1918. Este documento se formuló cuando una revolución estudiantil estalló en la Universidad de Córdoba en Argentina. El documento de Córdoba permanece hasta el día de hoy como un hito del despertar de una nueva generación de la juventud latinoamericana. Este movimiento de reforma universitaria tomó auge en todo el continente durante los años de 1920.

Mackay no pudo asistir al Congreso Evangélico Hispanoamericano de la Habana en 1929, pero envió su discurso con el título "La Juventud Estudiantil" para ser leído allí. En esta presentación Mackay trazó lo que había pasado durante los once años desde el manifiesto histórico de Córdoba. Se citan algunas líneas del Manifiesto o Declaración de Córdova:

"Las universidades han sido hasta aquí el refugio de los mediócres, la renta de los ignorantes, la hospitalización de los inválidos y lo que es peor aún el lugar en que todas las formas de tiranizar hallaron la cátedra que las dictara. Las universidades han llegado a ser así el fiel reflejo de estas sociedades decadentes..." (28)

Mackay también fue sensible a la situación política y social del continente de modo que pudo identificarse con los problemas religiosos dentro del contexto amplio de las realidades del hemisferio. Mackay tenía una conciencia en cuanto a las quejas acerca del imperialismo yanqui en América Latina. Se dió cuenta por qué los latinoamericanos tenían poca confianza en los Estados Unidos de Norte América por las muchas intervenciones militares en las Antillas, Nicaragua, México y Panamá durante el período de su residencia en América Latina. Mackay dijo que el gobierno de los Estados Unidos debía dejar a los comerciantes trabajar en América Latina a riesgo propio. Notó el papel tan preponderante que había tenido los Estados Unidos en la Unión Panamericana y por qué fue llamado "el gigante del Norte".

El viajaba constantemente en todo el continente, además de sus viajes a los Estados Unidos de América, Europa y el Cercano Oriente entre los años 1926-32. Fue orador en la Décima Conferencia del Movimiento Estudiantil de Voluntarios en Kansas City en 1928. Preparó artículos para revistas en inglés como "South American's Pacific Problem" (El Problema Sudamericano sobre el Pacífico), sobre el litigio territorial entre Chile, el Perú y Bolivia y "Presenting the Christian Message" (Presentación del Mensaje Cristiano), a una reunión mundial en Suiza en 1930 de la Asociación Cristiana de Mujeres. En el mismo año preparó los estudios Bíblicos de la ACJ para el continente sobre el Padre Nuestro bajo el título "Señor, Enséñanos a Orar".

Mackay habló en el año 1928 a la Conferencia de Misiones Extranjeras de Norte América diciendo que "los archivos de los hombres de negocios que trabajan en América Latina tienen mejor información que las iglesias acerca de los paises de Sudamérica". El habló directamente de cierta vacilación de las iglesias protestantes de Norte América en cuanto a la presencia del Cristianismo evangélico en la América Latina diciendo:

"Los protestantes trabajando en la América Latina se ven como piratas, corsarios, los descendientes en el sentido espiritual de Francis Drake quien fue al Mar de las Antillas para chamuscar la barba del Rey de España...como fanáticos cuyo sólo propósito fue crear problemas para la jerarquía romana y para chamuscar la barba del Papa.. El Catolicismo de Sudamérica no es espiritualmente adecuado ni tiene el personal preparado para la tarea de cristianizar al Continente... Sud América es demasiado cosmopolita para que una sola iglesia...pueda ser el único mentor espiritual... y además la obra evangélica ha ayudado a la Iglesia Romana... y el protestantismo es un factor que no se puede erradicar ya la vida de muchos paises sudamericanos..." (29)

Mientras que Mackay estaba de viaje durante los años 1926 a 1929 su familia encontró un hogar espiritual entre los metodistas

porque no había ninguna congregación presbiteriana o reforma-
da en Montevideo. Los hijos asistieron al Colegio Crandon.
Llegaron a tener amigos como Julio Navarro Monzó, Manuel
Beltroy y Luis Odell. Este último vive todavía jubilado en España.

En 1928 Mackay estuvo fuera de casa por casi seis meses
cuando hizo una gira larga por Norte América, Gran Bretaña,
Europa y el Cercano Oriente. Fue uno de los oradores principales
en Jerusalén en la Segunda Conferencia Mundial Misionera,
organizada por el Consejo Misionero Internacional. Mackay presentó el desafío misionero de América Latina por primera vez en
una asamblea internacional. El continente "olvidado" por la conferencia misionera de Edimburgo en 1910, ahora era reconocido
como un campo legítimo de obra misionera.

En este mismo viaje Mackay habló al Comité de Cooperación
en América Latina. A aquella reunión se había invitado a un
número de personas del cuerpo diplomático de los Estados Unidos y ciertos países latinoamericanos. Mackay habló de cuatro
áreas de promesa en la escena cultural del continente, llamándo-
los "las cumbres culturales": el idealismo internacional, la com-
prensibilidad intelectual, una nueva pasión social y una nueva
visión espiritual". (30)

Durante los años en Montevideo y en la ciudad de México él
estaba preparando sus ideas y borradores para el libro más importante de su vida *El otro Cristo español*. el propósito del libro
fue "tratar el problema espiritual... en su totalidad". El libro tiene
tres partes: la primera es una descripción de la llegada del Cristianismo Católico a Sudamérica y su trayectoria por cuatro siglos.
En la segunda parte Mackay explica cómo esta fe cristiana fue
distorcionada. En esta parte uno de los pasajes más notables dice:

"...el Cristo español... se presenta delante de nosotros como
una víctima trágica... lastimado, muerto y manchado de sangre...
acunado en los brazos de una hermosa franciscana... muerto para
siempre... la única luz que alumbra la escena cae sobre el rostro
de Su Madre... Decía Unamuno de este cuadro de Velázquez:
'Este Cristo, inmortal como la muerte nunca resucita jamás'.(31)

En la tercera parte del libro, Mackay habla de las corrientes contemporáneas de la vida espiritual del continente y del papel del protestantismo en la renovación espiritual de América Latina.

En España José Ortega y Gasset comentó muy favorablemente sobre el libro con estas palabras:

"El otro Cristo español" hace un estudio profundo e informado de la realidad espiritual de Indoamérica. Sus observaciones, críticas y evaluaciones de Rodó, Ricardo Rojas, Bunge, Francisco Bilbao, Manuel González Prada, Lerdo de Tejada, Hostos, Lastarria, Sarmiento, Haya de la Torre son sencillamente indispensables para comprender la América. Con el sentido de precisión, tan especial de la raza anglosajona, Mackay establece hitos y traza relaciones que otros escritores apenas discernieron". [32]

La condenación vino solamente del sector católico romano. Edwin Rian en la revista *Commonweal* dijo que Mackay había presentado al protestantismo en ropajes de oveja, pero en realidad era el lobo de un protestantismo proselitista. [33]

Pero la gran mayoría de los comentarios fueron tan favorables que Mackay llegó a ser el vocero mundial más prominente del cristianismo evangélico latinoamericano.

En 1932 la invitación de Robert E. Speer llegó de nuevo a Mackay para ocupar el puesto de Secretario para la América Latina de la Junta de Misiones Presbiterianas en Nueva York. Lo había declinado en 1928 porque dijo: "no quiero romper el enlace directo con el evangelismo en la América Latina". [34] Ahora Mackay estaba listo para responder a la Voz Divina para tomar un nuevo camino de servicio.

NOTAS SOBRE EL TEXTO.

1. Herring, Hubert, "*A History of Latin America*", 544

2. Juan A. Mackay *That Other America* (Esa otra América) N.Y. *Friendship Press*, 1935, 155

3. Véase Germán Arciniegas, A Cultural History of Latin America, 465-488, para un repaso de la literatura en el continente en este período.

4. "A report of a Spy".*A report to the Free Church of Scotland*, January, 1916. Esta actitud "imperial" de las misiones protestantes en América Latina pasó por una transformación a través de la vida de Mackay. Como asesor a la Comisión de Asuntos Interamericanos de la Iglesia Presbiteriana Unida en 1969,Mackay habló de los problemas de "un mesianismo eclesiástico" por parte de las misiones hacia América Latina. (JHS)

5. Webster Browning, "*The Romance of the Founding of Evangelical Missions en Latin America*", escrito inédito, 115.

6. Rycroft, W. Stanley, "*Memoirs of life in Three Worlds*". 47

7. Harbison Janet, "John A. Mackay of Princeton", "Presbyterian Life", September 15, 1958, 9.

8. Los nuevos edificios del Colegio San Andrés están en construcción en terrenos donados por el gobierno peruano.

9. Véase. "W. Stanley Rycroft, *Latin America Missiologist*" por John H. Sinclair, *American Presbyterians*, Vol. 65, No.2 Summer, 1987.

10. Véase. Rycroft, op. cit., 47

11. Véase. Mackay Juan A. , *El Otro Cristo Español*, 201-206. "Antípodas Espirituales", un ensayo sobre la contribución de José Carlos Mariátegui. Carta de Juan A. Mackay a José Carlos Mariátegui, 1º de noviembre de 1925.

12. Mackay Juan A., "Dos Apóstoles de la Democracia "Mercurio Peruano; Revista Mensual de Ciencias Sociales y Letras, Lima, Perú, año I, vol. l, No.5, Nov, 1918, 255-260.

13. Mackay Juan A., "Wordsworth y los Laquistas", Mercurio Peruano, Año II, vol. III, No. 15, Septiembre, 1919, 178-193.

14. "Student Life in a South American University", The Student World, 51: 89-97, July, 1920.

15. Estas dos conferencias se encuentran en la cuarta edición de *El sentido de la vida y Otros ensayos*, 1988.

16. Veáse Frederick C. Pike, *The Politics of the Miraculous*, 1986, para un análisis excelente de las relaciones entre Juan A. Mackay y Victor Raúl Haya de la Torre, 47-49, 99,128,130,159, 260, 261 y 306.

17. También se encuentra un relato más detallado de este y otros eventos relacionados con Haya de la Torre en *"Memoirs of Life in Three Worlds"* por W. Stanley Rycroft, 50-52.

18. Citada por Juan A. Mackay en "La Juventud Estudiantil", Montevideo, 1929, 11.

19. Una conversación con el doctor José Miguez Bonino por el autor 8 de septiembre, 1989. El doctor Miguez Bonino también fue detenido por la policía por la misma acusación.

20. Janet Harbison, op cit., 10

21. Ibid., 10

22. Juan A. Mackay *"Religious Currents in the Intellectual Life of Perú"*, The Biblical Review, 6: l96, April, 1921.

23. John A. Mackay, "On the Road: How my mind has changed in this Decade", The Christian Century, July, 1939.

24. Herring, op.cit. 373

25. Citado en C. Howard Hopkins, *History of the YMCA in North America,* (New York, Association Press, 1951),592.

26. La lista de las publicaciones de John A. Mackay en el periodo entre 1925 a 1932 se encuentra en la bibliografía titulada "Libros, folletos y artículos por Juan A. Mackay".

27. Juan A. Mackay *"Contemporary life and Thought in South America in relation to Evangelical Christianity"*, The Foreign Mission Conference of North America 1928,135-42.

28. Informe de la Conferencia Evangélica de la Habana, 1929. Comité de Cooperación en América Latina.

29. Juan A. Mackay, *"Cultural Peaks in Contemporary South America" Inter-American Cultural Relations,* New York: Educational Advance in South America, 1928,135.

30. Juan A. Mackay, discurso presentado a la Conferencia de Misiones Extranjeras de Norte América, Nueva York; informe de la Conferencia de Misiones Extranjeras, 1928, 135, 8-14

31. Véase Juan A. Mackay, *El otro Cristo español,* ll5-121. en la traducción de 1952 por Gonzálo Báez Camargo, Casa Unida de Publicaciones, S.A. II edición l989.

32. José Ortega y Gasset en *El Heraldo de Antioquia,* (Medellín, Colombia) 22 de enero de 1936.

33. Edwin Rian, *"Review of The Other Spanish Christ "* en Commonweal 17: 638-9, April 5, 1933.

34. Juan A. Mackay fue invitado antes de 1932 para ocupar un puesto ejecutivo en la Junta. Véase carta de Juan A. Mackay a J.R. Wilson el 19 de diciembre de 1928. Mucha de la correspondencia de Mackay con los personeros de la Asociación Cristiana de Jóvenes en los Estados Unidos sobre esta decisión de salir del servicio de dicha entidad se encuentra en los Archivos de la Asociación Cristiana de Jóvenes en la Universidad de Minnesota, St. Paul Minnesota.

III. LOS AÑOS DE SERVICIO A LA IGLESIA PRESBITERIANA, EUA (1932 - 1983)

A. SECRETARIO DE LA JUNTA DE MISIONES
PARA AMERICA LATINA (1932 - 1936)

Por qué Mackay dejó la Asociación Cristiana de Jóvenes.

El año de 1932 fue año de transición para Mackay. Dejó el trabajo con la ACJ para aceptar el puesto de Secretario para América Latina y Africa en la Junta de Misiones en el Extranjero de la Iglesia Presbiteriana (EUA) en Nueva York. Para Mackay, este puesto le ofreció la oportunidad para fortalecer la obra misionera de la Iglesia Presbiteriana en América Latina. También quería retornar al servicio eclesiástico. Sin duda Mackay aceptó esta invitación porque fue ofrecida personalmente por un hombre que admiraba desde el Congreso Misionero de Edimburgo en 1910, Robert E. Speer, secretario general de la Junta de Misiones.

Mackay escribió sobre esta decisión lo siguiente:

"Una razón que me llevó a renunciar a trabajar con esta gran organización no-denominacional fue la oportunidad para ingresar de nuevo en el ministerio directo de la Iglesia Cristiana organizada. Fue mi creciente convicción que la Iglesia es lo más importante en el mundo espiritual...Sentí que estábamos entrando en una época cuando solamente personas unidas en un compromiso común a Cristo y ligadas en la tradición y compañerismo de la Iglesia podían tener la oportunidad para desafiar a las fuerzas militantes que llenaron las vías principales del mundo...movimientos que en realidad están organizados como iglesias seculares..." [1]

En una entrevista con la revista *Presbyterian Life* (Vida Presbiteriana) en 1958 Mackay volvió a recalcar esta afirmación con las palabras: "Lo que pasó en mí fue una confianza renovada en la Iglesia". [2]

La familia Mackay se trasladó a Montclair, Nueva Jersey, E.U.A., para tener una residencia permanente después de dieciséis años de peregrinación por América Latina. Este traslado de la Ciudad de México a Nueva Jersey fue difícil para los hijos de la familia Mackay que se había criado en el Perú, Uruguay y México. Los hijos tenían entre siete y catorce años de edad cuando la familia se radicó en Montclair en 1932.

El estilo "colegiado" de administración

Las oficinas de la Junta de Misiones se habían establecido en 156 Fifth Avenue en Nueva York desde el año 1893 en un edificio donde otras agencias misioneras y de cooperación protestante también tenían sus oficinas. La Junta Metodista estaba al lado en el "150". Muchas otras juntas misioneras - la Congregacional, la Episcopal y la Bautista Americana - estaban también cerca. El

Comité de Cooperación en América Latina se ubicó en el "156" desde su formación en 1913. El ambiente fue propicio para estimular la cooperación entre las juntas misioneras.

Mackay tenía a su cargo unos ciento cincuenta misioneros presbiterianos en seis países latinoamericanos y un país africano (el Cameroon Francés). Mackay pasó mucho de su tiempo viajando y contestando correspondencia. Un secretario regional tenía que ocuparse con problemas administrativos relacionados con los colegios, hospitales y otras instituciones misioneras. Fue responsable de la aprobación del nuevo personal misionero y la supervisión del personal en el campo. Asistió a innumerables reuniones con Speer y otros secretarios. Cuando Mackay llegó a trabajar con la Junta, se dió cuenta que Speer dejaba a cada miembro del personal administrativo la libertad para hacer muchas decisiones sin consultar con sus colegas. Pero Mackay siempre solicitó la opinión de Speer antes de presentar un asunto de importancia al gabinete administrativo.

Mackay abogaba a favor de un estilo colegiado de administración en la iglesia. Para Mackay, el personal administrativo debe tener la oportunidad para platicar alrededor de la mesa sobre los asuntos administrativos y deben estar dispuestos a compartir sus problemas con los demás. Este estilo de administración también fue practicado por Mackay no solamente con los presbiterianos, sino además con sus colegas en la junta metodista. Mackay siempre propuso buscar "la comunidad" en cualquier lugar donde la Iglesia tuviese la oportunidad para compartir las tareas misioneras. El lamentó que no había ningún espacio en las oficinas del "156" que fueran realmente comunitarias fuera de los salones de reuniones. (IV,39)

Mackay insistía en que el tesorero de la Junta fuera miembro también del gabinete para que él no estuviera sólo al hacer sus decisiones. Mackay pensaba que el tesorero de la junta tenía que participar en todas las decisiones del grupo administrativo. En una entrevista en 1975, Mackay dijo lo siguiente sobre la participación del tesorero:

"El tesorero no debe imponer su criterio, sino que debe participar en el intercambio de opiniones y discusión con todo el personal administrativo. El no debe ser dictatorial. Me parece que se comporta así. Debemos hacer el trabajo, todos juntos. En otras palabras debemos trabajar "en comunidad". (IV,40)

Como Secretario de la Junta de Misiones, Mackay tenía que preocuparse por el bienestar de las familias misioneras. El hijo de una familia misionera de Brasil cuenta la siguiente experiencia de su niñez:

"En los años de 1930 nuestra familia misionera pasó un año en Carolina del Norte. Mi padre estaba en un sanatorio con tuberculosis. Un hombre alto vino de Nueva York para ver a mi padre. Después de la visita al hospital, también nos llevó a nosotros, los tres muchachos, al circo.." Esta visita fue de el doctor Juan A. Mackay, el Secretario para America Latina de la Junta de Misiones de la Iglesia Presbiteriana.

(Nota del autor: Los tres muchachos eran Latham, James y Paul Wright. Latham sirvió de misionero en Portugal, James ha tenido una carrera misionera distinguida en el Brasil y Paul murió en Brasil de 1973 como mártir en la defensa de derechos humanos.)

Mackay: intérprete del protestantismo latinoamericano

Mackay continuaba sus tareas como intérprete del cristianismo evangélico en América Latina por medio de artículos, libros y conferencias. En 1935 escribió un libro importante titulado *That Other America* (Esa Otra América). La tesis que sostenía era que "esta América del Norte y aquella otra América tienen que ser unidas en Cristo o sólo pueden ser unidas en la tristeza". (3) Mackay presentó en este libro una comparación de Don Quijote y Robinson Crusoe: "dos diferentes actitudes hacia la vida, dos maneras de conquista espiritual, dos épocas de la historia mundial, dos expresiones de la civilización mundial se quedan escondidas en los héroes inmortales de Cervantes y Defoe". (4) El libro no recibió la atención debida. Nunca fue traducido al español como muchos pensaron que debió haberse hecho. José Ortega y Gasset expresó su satisfacción de ver un nuevo libro de Mackay y escribió que el libro "fue tónico, un acto de fe en la juventud latinoamericana", (5) En el libro Mackay describió ciertas realidades latinoamericanas para los líderes protestantes de Norte América desde una perspectiva latinoamericana. Desafortunadamente las perspectivas de Mackay en *That Other America* nunca se popularizaron.

Mackay: candidato para un puesto más prominente e influyente

Para el año 1936 se podía decir que Mackay estaba listo para pasar a un puesto de más importancia e influencia en la Iglesia Presbiteriana. Su preparación intelectual y su experiencia práctica, la calidad de sus libros y conferencias indicaban que él estaba bien preparado para un puesto como rector de un seminario teológico. Mackay había llegado a los Estados Unidos en un período de mucha controversia eclesiástica, de divisiones teológicas, de recesión económica y de inquietudes dentro del perso-

nal misionero. El pasó noches sin dormir pensando en los problemas de la Iglesia en general, no solamente de la obra misionera.
El informe *"Rethinking Missions - a Layman's Inquiry after One
Hundred Years"* (Re-pensando las misiones- una encuesta laica
después de cien años), le preocupó mucho y lo consideró ingénuo.
(6) Sus discursos y artículos empezaron a tratar temas más teológicos y eclesiológicos, pero siempre dentro del contexto de una
visión misionera mundial.

B. PRINCETON 1936 - 1959 : RECTOR Y PRO-
FESOR DEL SEMINARIO TEOLOGICO DE
PRINCETON.

**"¿John, no sabes que un seminario también puede ser campo
misionero?"**

No fue sorpresa que en 1936 Mackay fuera invitado para
asumir la presidencia del Seminario de Princeton. Toda su preparación y experiencia indicaba que él era la persona idónea para
este puesto clave en la vida de una denominación dividida y
desanimada. Otra vez Robert E. Speer fue el hombre clave en la
vida de Mackay. Speer, un laico de la iglesia, había estudiado
durante un año en el Seminario de Princeton. Un año después de
la elección de Mackay como rector, Speer fue elegido presidente
de la Junta Directiva del Seminario. Speer había pensado en
Mackay como su propio sucesor en la Junta de Misiones, pero
optó por apoyar la candidatura de Mackay para la rectoría del
Seminario de Princeton que juzgó era la tarea más crítica en la
vida de la Iglesia Presbiteriana.

Mackay no aceptó la invitación cuando le fue ofrecida la
primera vez. Pero cuando por segunda vez vino la invitación, la

aceptó. Mackay cuenta que un colega metodista le dijo cuando estaba considerando la segunda invitación:

"¿John, no sabes que un seminario puede ser también campo misionero?"

Mackay continuó con su interés por América Latina, pero ahora tuvo que dedicar sus esfuerzos a otras tareas. De todos modos se mantuvo en contacto íntimo con la obra misionera de la Iglesia Presbiteriana en América Latina. En 1939 fue elegido miembro de la Junta de Misiones y más tarde llegó a ser su presidente entre 1944 y 1948. Durante los años en Princeton, Mackay utilizó formas y figuras de hablar, así como ilustraciones, que se originaron en sus experiencias y estudios en América Latina.

Mackay aceptó la rectoría de Princeton como un desafío para ser misionero en el campo de la educación teológica. En una entrevista en 1975 dijo:

"El seminario fue un campo misionero, no en el sentido sentimental o eclesiástico, porque yo no iba a ser solamente la persona responsable de la institución sino un amigo de los estudiantes. Las amistades y las relaciones personales fueron los elementos que dominaban mis pensamientos en el desarrollo del Seminario. Para mí fue necesario establecer relaciones personales con el cuerpo docente y el cuerpo estudiantil... Los estudiantes intimaban solamente con los miembros de los clubes a los cuales pertenecían. Cuando yo fuí estudiante en el Seminario fuí miembro del Club Adelfiano.. y mi sueño era que Princeton llegara a ser una verdadera comunidad. Por eso promoví el plan para construir un Centro Estudiantil para que todos los estudiantes se conocieran bien. La idea de una comunidad era central en mis decisiones como rector". (V,4-5)

Princeton: punto clave en la lucha teológica entre presbiterianos durante los siglos XVIII y XIX (7) (8)

El Seminario de Princeton fue punto clave en la lucha teológica en dos épocas de la Iglesia Presbiteriana de los Estados Unidos de Norte América durante los siglos XVIII y XIX. La primera batalla estalló como resultado de un acuerdo especial del Sínodo de Nueva Jersey en 1729. Con este acuerdo del Sínodo exigió que cada candidato para el ministerio afirmara y suscribiera la Confesión de Fe de Westminster y el Catecismo Menor y Mayor de Westminster a fin de ser aprobado para la ordenación. Pero esta afirmación dejaba a los presbiterios a que se pronunciaran sobre lo que ellos consideraban ser "los artículos esenciales y necesarios de fe". Esta "suscripción" fue un problema que causó dificultades durante dos siglos dentro de la familia presbiteriana, entre los que estaban a favor de legislar a nivel de la Asamblea General una lista de doctrinas "esenciales" para los candidatos a ordenación y los que estaban a favor de dejar a los presbiterios en libertad de definir las doctrinas "esenciales".

Mientras este asunto no se definía tuvo lugar un acontecimiento monumental y transformador en la vida religiosa de Norte América. Hubo un gran avivamiento a mediados del siglo XVIII. Este avivamiento del siglo fue conocido como "El Gran Despertar". No fue solamente un despertar en cuanto a la vida personal del creyente, sino que promovió un cambio en la comprensión de cómo una persona llega a entrar en el Reino de Dios. "El Gran Despertar" recalcó el cambio transformador y regenerador por medio de la conversión como la forma normativa para entrar en el Reino. Se afirmó el énfasis primordial sobre la experiencia personal con Dios en Cristo y enfatizó el proceso de la edificación por medio de la educación cristiana. A la vez se inclinó fuertemente hacia una postura ultramundana.

Se puede decir que "El Gran Despertar" afectó profundamente a la mayoría de las denominaciones norteamericanas hasta el presente. En un sentido, el impácto de ese avivamiento fue tan fuerte como el impácto del Pietismo en Alemania y el Metodismo en Gran Bretaña en el siglo XVIII. Por el lado positivo, "El Gran Despertar" fue el movimiento que despertó un fuerte espíritu misionero como resultado de la predicación de Jonathan Edwards y sus discípulos. De esta escuela "edwardiana" salieron muchos a los campos misioneros dentro y fuera de los Estados Unidos.

Las primeras luchas fuertes aparecieron durante la primera ola del avivamiento en los años 1740 y 1750. En el fondo, las luchas en la preparación de ministros giraron alrededor de la pregunta siguiente:

"¿Cómo se puede dejar que las emociones y las convicciones influyan al ministro en cuanto a la interpretación de las doctrinas esenciales?"

El desacuerdo fue tan intenso que en 1741 el Sínodo de Nueva Jersey se dividió en dos sínodos."La Vieja Escuela" mayormente compuesta por el partido de los escoceses-irlandeses que enfatizaban la pureza doctrinal y las formas correctas de gobierno constitucional de la iglesia y "La Nueva Escuela", de influencia inglesa y europea de Nueva Inglaterra, moldeada por la predicación de Jonathan Edwards, el predicador ilustre de "El Gran Despertar".

"La Nueva Escuela" confió menos en la iglesia como institución y creyó que cada persona tenía la obligación de volver a reafirmar la pureza de la fe de la iglesia sin respetar demasiado las estructuras y las reglas de la institución y la constitución de la iglesia. Para estas personas la experiencia del creyente con Dios consistía en tener "la doctrina pura" y no solamente aceptar las doctrinas que habían formulado los padres de la iglesia a través de la historia cristiana.

Cuando Mackay llegó a Princeton, tuvo que buscar la reconciliación entre las dos corrientes teológicas, de los últimos doscientos años de la Iglesia Presbiteriana.

"The Log College" y la Universidad de Princeton

"The Log College", así llamada por su construcción tosca de troncos de madera, fue organizada en 1728 por William Tennent (1693 - 1746) para preparar pastores para la frontera americana. Allí estudió una generación de líderes prominentes para las congregaciones en las colonias. Esta institución dejó de existir en 1746 cuando los de "La Nueva Escuela" cambiaron su apoyo del "*Log College*" a la nueva universidad, organizada el mismo año en Princeton. Uno de los primeros rectores fue Jonathan Edwards (1703 - 1758). "The College of New Jersey" (La Universidad de Nueva Jersey), más tarde la Universidad de Princeton, fue establecido por el Sínodo de Nueva York (de la Nueva Escuela) que fue el partido más numeroso en la Iglesia Presbiteriana.

El ambiente intelectual de la nueva institución también fue un reflejo en gran parte de John Witherspoon quien vino de Escocia en 1765 para ser su rector. John Witherspoon, el único clérigo que firmó la Declaración de Independencia, fue llamado por Tomás Carlyle "el escocés más grande desde Juan Knox". Carlyle también escribió acerca del lugar prominente de Knox en la historia escocesa con estas palabras:

"La historia de Escocia no tiene nada de interés para el mundo fuera de la Reforma de Juan Knox".

Así, Carlyle colocó a Witherspoon a lado de Knox en cuanto a su influencia espiritual en Escocia. El libro de Witherspoon *Ecclesiastical Characteristics*, escrito cuando era pastor en Escocia de cuarenta y dos años, causó una gran sensación. Era "evangélico" como Tomás Chalmers quien apareciera unas seis décadas después de Witherspoon como fundador de la Iglesia Libre de Escocia. Los dos pastores estaban preocupados por ver la religión aplicada a la vida práctica. Los dos se opusieron al derecho de los grandes hacendados para imponer a sus escogidos en los púlpitos de sus parróquias. De modo que Witherspoon vino al Mundo Nuevo con ciertos compromisos democráticos e igualitarios.

En cuanto a la filosofía, Witherspoon fue discípulo de Thomas Reid, el filósofo del realismo conocido bajo el nombre el "Sentido Común". Esta posición filosófica fue una innovación en aquella época a la luz de la filosofía kantiana. Reid decía que los escépticos hacían la tarea de comprender al mundo más difícil de lo que era necesario. La filosofía del "Sentido Común" utilizó la mente y la razón para poner en orden sistemática las verdades doctrinales. Así, la influencia de Thomas Reid y John Witherspoon dejó su marca en el Plan de Estudios del Seminario Teológico de Princeton fundado en 1812 y que reza de esta manera en una de sus partes:

"El estudiante tiene que haber estudiado con cuidado y perspicacia la teología natural, didáctica, polémica y causísta. Entonces puede prepararse para ser un hábil y veraz ministro y polemista...".

Pero dentro de esta afirmación austera y formal, siempre corría un hilo acerca de la validez de una experiencia personal con Dios al estilo de Edwards. El decía que la afirmación intelectual de la doctrina verdadera y una experiencia religiosa auténtica son de igual importancia en la vida cristiana. Edwards dijo que la diferencia se encuentra en saber que, "por una parte la miel es dulce, pero por otra parte la miel solamente es agradable al probarla".

Cuando Mackay llegó a Princeton auspició una relectura de Jonathan Edwards con esta declaración:

"Nosotros tenemos que redescubrir a Jonathan Edwards. Sus pensamientos nos ayudarán a mantener el equilibrio que nos ha perturbado en estos días recientes...La verdadera y última perfección del cristianismo consiste en una expresión ardiente y práctica de afecto religioso y en un amor para con Dios y el hombre". (9)

"La Teología de Princeton" (10)

Cuando Mackay llegó en 1936 tuvo que enfrentar un cuerpo de pensamiento teológico del siglo XIX llamado "la teología de Princeton". Princeton no estaba en la frontera del pensamiento teológico de sus tiempos. Al contrario, se había quedado atrás por razón de sus horizontes tan limitados. Se creía que la Biblia era para el teólogo lo que la naturaleza es para el científico. La Bíblia se consideraba como recuento de hechos y el método para estudiarla utilizaba la filosofía natural en cuanto a lo que la naturaleza revelaba. En un sentido "la teología de Princeton" trataba de aceptar una postura media entre la "Nueva Escuela" y la "Vieja Escuela" para afirmar que había dos facetas de una sola verdad: lo intelectual y lo experiencial.

Pero la Iglesia Presbiteriana no podía permanecer indecisa en el siglo XX cuando nuevamente se suscitó el debate sobre la infalibilidad de las Sagradas Escrituras a la luz de la nueva escuela de crítica científica. El colmo de este debate en la Iglesia Presbiteriana dio como resultado la llamada "Afirmación de Auburn" de 1924, firmada por 150 ministros. Estos firmantes declararon lo siguiente:

"No hay ninguna afirmación en las Sagradas Escrituras que los escritos 'fueron preservados sin error'. La Confesión de Fe de Westminster no lo afirma, tampoco el Credo de los Apóstoles ni el Credo de Nicea o cualquiera de las confesiones de La Reforma..." (10b)

Los que firmaron esta declaración eran considerados "los inclusivistas". Entre ellos fue J. Ross Stevenson, rector del Seminario de Princeton. Pero la mayor parte de los profesores del seminario fueron "exclusivistas" y se opusieron a la declaración de Auburn. Los opositores de Stevenson notaron que Stevenson no había graduado de Princeton (es decir, que no estaba dentro de la tradición "la teología de Princeton"). El abanderado de los "exclusivistas" fue el profesor de Nuevo Testamento, J. Gresham Machen. Charles R. Erdman, profesor de Teología Práctica, fue inclusivista, pero también un teólogo conservador y premilenario. Machen y Erdman habían sido por años antagonistas inveterados dentro del cuerpo docente del seminario. El resultado inmediato de la controversia entre las dos corrientes fue el retiro de Machen y tres otros profesores de Princeton para establecer el Seminario Teológico de Westminster en Filadelfia en 1932.

Durante el período de la reorganización del Seminario entre 1932-1936 una nueva teología "neo-ortodoxa" llegó a los Estados Unidos por medio de los estudiantes de Karl Barth. Mackay había pasado cuatro meses con Barth en Bonn en 1930 estudiando con él y también ayudándole con el inglés. De modo que Mackay fue consciente de esta nueva teología de Barth. El movimiento estaba en contraste radical a la filosofía de *Common Sense* (del Sentido Común) de John Witherspoon y "la teología de Princeton" de los Hodges y Warfield. La nueva teología fue moldeada por el existecialismo de los filósofos cristianos como Kierkegaard quien había escrito:

"Nadie puede ser un espectador despreocupado porque todo el mundo vive dentro de una realidad en la cual tiene que escoger cada minuto entre diferentes opciones..." (11)

Mackay y su estrategia como rector

Mackay fue estudiante en Princeton desde 1913 a 1915. Vino de Escocia para oír algunas de las mismas controversias teológicas que había escuchado en su tierra durante su niñez y juventud. La luchas entre los exclusivistas y los inclusivistas en Los Estados Unidos fueron semejantes a los mismos debates entre la familia presbiteriana del siglo XIX en Escocia. Pero Mackay buscó una teología más ámplia. El solía referirse a una búsqueda para encontrar "algo más allá" de lo ordinario. A pesar de que su profesor en Inverness había visitado a Princeton y había animado al joven seminarista a estudiar con B.B. Warfield, el gran teólogo conservador, el joven Mackay no se quedó contento con el enfoque teológico tradicional de Princeton. El soñaba con un seminario de una nueva orientación y con nuevos horizontes.

Cuando Mackay llegó al Seminario en 1936 tuvo que enfrentar los resultados tristes de la controversia en que el profesor J. Gresham Machen y otros profesores que se habían separado del Seminario. ¿Qué tratamiento iba a prescribir para sanar las heridas y traer salud a la institución?

Para Mackay, criado en un hogar donde la oración y la lectura de la Bíblia fue de suma importancia, la defensa de la fe más indicada fue por el lado de los sentimientos, y no por el lado racional o intelectual. En su discurso al principio del año académico en septiembre de 1936, citó a Jonathan Edwards diciendo:

"La verdadera y última perfección del cristianismo consiste en una expresión sincera y práctica de los afectos religiosos, por medio del amor hacia a Dios y al semejante... Es muy posible afirmar todas las declaraciones salvíficas acerca de Dios, afirmar las creencias más ortodoxas acerca de Jesucristo, el Redentor, pero es posible también no ser Cristiano y quedarse completamente exento de una amistad personal con Dios". (12)

En su discurso inaugural en Princeton del siguiente año, en febrero de 1937, con el título "La Restauración de la Teología", Mackay usó una frase de Kierkegaard sobre el profesor como testigo de la Crucifixión:

"Entonces como maestros y estudiantes de la teología cristiana, compartimos el compañerismo de Sus Penas y seguimos al Maestro en humilde y amorosa obediencia en las tareas que El nos entrega en la vida cotidiana..."

Y agregó estas palabras de Karl Barth:

"...a Dios le hacen faltan personas, no individuos llenos de frases ruidosas y novedosas. A Dios le faltan "perros", cuyas narices, husmean la realidad del día de hoy, y en ello olfateen el rastro de la Eternidad..." (13)

Para finalizar el acto de inauguración del nuevo rector, Robert E. Speer presentó a Mackay con las siguientes palabras de desafío que Mackay nunca olvidó:

"Edifique su vida en estos muros". (14)

Juan y Jane Mackay llevaron a cabo paso a paso una estrategia sencilla y práctica. Empezaron con la decisión de establecer su residencia en Springdale, en una casa espaciosa y elegante. El rector antes de Mackay vivía en una casa menos pretensiosa y fuera del plantel. Pero los Mackay optaron por una casa grande cerca del seminario en donde pudieran recibir a los estudiantes y profesores en un ambiente familiar. Hubo cierto rumor que Mackay había escogido esa casa elegante por el prestigio que le daba. Pero no fue así. Ellos estaban convencidos que el primer paso para empezar a sanar las dolencias del seminario era crear un sentido de familia, de comunidad. Su propio hogar iba a ser el lugar de encuentro de la familia seminarista. Sin duda por esta decisión la familia Mackay sacrificó en gran parte su vida privada. Solamente los hijos de Juan y Jane Mackay saben cuánto de su vida familiar fue sacrificada así.

Mackay tomó las riendas del seminario con energía y decisión. Un colega comentaba acerca de este aspecto de estilo administrativo de Mackay de la siguiente forma:

"La fortaleza del seminario se deben hoy al hecho de que Mackay asumió un mando personal de la situación desde 1936". (15)

El talento administrativo de Mackay se basaba en dos características principales: fundar sus decisiones sobre principios básicos y prestar atención minuciosa a los detalles. Cuando Mackay tenía que resolver un problema, él pasaba algún tiempo en privado reflexionando al respecto, buscando la solución a base de algún principio fundamental; después anunciaba su decisión. Se decía que cuando el Rector había encontrado "el principio", la decisión no tardaría en venir. Su otra característica consistía en una preocupación profunda por los detalles de la administración.

Se cuenta que aún a mitad de la presentación de algún aviso al estudiantado si veía una luz demás prendida, se detenía para saber "por qué" razón estaba prendida. Cuando alguna vez se le preguntó sobre su preocupación por los detalles, respondió con el principio que había aprendido del Conde Keyserling, en el sentido que uno debe detenerse a observar las cosas pequeñas para recoger "datos representativos".

Mackay fue igualitario en su administración. Insistía en que todo el mundo conversara con otros en el Seminario: El estudiante con el estudiante; el profesor con estudiantes; y todos con el personal administrativo y de servicio. También hizo que los nombres, fotografías y deberes de toda la comunidad del seminario aparecieran en el Directorio del Seminario por orden alfabético y según su función: "profesor de historia", "oficinista", "jardinero" y "rector". (16)

Mackay también fue amigo de los estudiantes y como profesor trataba a todos por igual. Un asistente académico del doctor Mackay relató al autor este episódio: "Yo recuerdo que un estudiante presentó un trabajo escrito para el curso sobre ecumenismo en que el estudiante había copiado textualmente una porción de una obra clásica sobre el tema, pero sin reconocer la fuente de dicha cita . Mackay no se molestó demasiado, sino que me aconsejó cómo conversar con el estudiante en cuanto a este pasaje. Mackay me dijo que yo debía intentar buscar la verdad sin acusar al estudiante. Mackay opinó que 'este estudiante sufría de entorpecimiento moral o equivocación intelectual'. Cuando yo hablé con el joven sobre el asunto, en seguida me dijo, 'tengo aquí la cita en mis apuntes del curso que tomé en la universidad hace dos años sobre la materia. La cita contiene las palabras textuales de la conferencia que dictó mi profesor'. Entonces me dí cuenta de que había sido el profesor él que había plagiado la cita deshonestamente, y no el estudiante".

Otro estudiante contó al autor la siguiente experiencia: "Fue el doctor Mackay quien salió en mi defensa durante mi examen para la ordenación. Uno de los pastores que me examinó se preocupó mucho porque no había podido nombrar en orden todos los libros de la Biblia. El doctor Mackay se levantó y dijo al presbiterio que la pregunta no era una pregunta apropiada. El presbiterio estuvo de acuerdo con Mackay y fuí aprobado para la ordenación".

Mackay siempre tenía una palabra de orientación para los estudiantes en cuanto al llamamiento para el pastorado local. Sus palabras a los estudiantes salientes del año 1944 son un reflejo de su espíritu pastoral: "Cuando vayan a tomar su primer pastorado, vayanse allí con la intención de quedarse para siempre. Que no pasen el tiempo anticipando un cambio pastoral para otro campo de servicio con un mejor porvenir".

Nuevas dimensiones de la educación teológica

Mackay transformó el Seminario en un centro ecuménico con la llegada de profesores y estudiantes de otros paises y tradiciones cristianas. Antes de la llegada de Mackay, había algunos profesores y estudiantes del extranjero y de otras iglesias reformadas pero siempre en un número reducido y su presencia en Princeton no respondía a un plan global de internacionalización del seminario. Más, durante la época de Mackay llegaron los profesores Otto Piper y Emil Brunner de Alemania, Josef Hromadka de Checoslovaquia y Emile Cailliet y George Barrois de Francia; de Escocia, Norman Hope y del Canadá, Donald Mc Cleod; del Cercano Oriente, Edward Jurji; de la familia Reformada en los Estados Unidos, Howard Kuist y Elmer Homrighausen para mencionar a algunos de los nuevos profesores.

La revista *Theology Today* (La Teología Hoy Día) empezó a ser publicada en 1944. En 1984 esta revista cumplió cuarenta años de vida. El lema de la revista era "La Vida del hombre a la luz de Dios". Mackay confesó que había concebido la idea de estas revista un día cuando caminaba al lado del Río Delaware. Esta revista proyectaba en sus artículos y orientación editorial la nueva imagen del Seminario de Princeton: una teología de compromiso con la sociedad. El fue el redactor de *Theology Today* de 1944-51. En el año 1942 organizó The Princeton Institute of Theology (El Instituto Teológico de Princeton), para pastores y laicos y que tomaba lugar durante el verano. El Instituto continúa celebrándose año tras año hasta el día de hoy y sigue siendo una de las conferencias teológicas anuales más importantes del país.

Mackay continuó escribiendo y publicando nuevos libros tales como: *Preface to Christian Theology* (Prefacio a la Teología Cristiana) 1941, *Heritage and Destiny* (Herencia y Destino) 1943, *Christianity on the Frontier* (Cristianismo en la frontera) 1950, *God's Order: The Ephesian Letter and the Present time* (Orden de Dios y Desorden del Hombre.Carta a los Efesios) 1957, y *The Presbyterian Way of Life* (El Sentido Presbiteriano de la Vida) 1960.

Mackay fundó en Princeton en 1944 la Facultad de Educación Cristiana para la preparación de personas-mayormente mujeres-para ser directores de educación cristiana y misioneras. Unas pocas mujeres se matricularon en el curso ministerial. Para iniciar esta nueva dimensión de educación teológica, se compró una antigua institución de Princeton, *The Hun School,* situada a tres cuadras del plantel principal del Seminario. En esa misma propiedad se reacondicionaron dos edificios con apartamentos para estudiantes casados.

Durante los años de 1945 a 1948 muchos pastores que habían servido como capellanes en las fuerzas armadas durante la Segunda Guerra Mundial volvieron al Seminario para un año de estudios posgraduados. Durante la administración de Mackay, los estudios posgraduados para el grado de doctor en teología se inciaron con mucho éxito.

La construcción del Centro Estudiantil del Seminario ("Campus Center") un sueño de años de Mackay, se realizó en 1949. El edificio con un gran comedor para todos los estudiantes y salones para reuniones y actividades sociales ha quedado como símbolo de la visión de Mackay como un lugar de encuentro para "una comunidad cristiana". El edificio ahora lleva el nombre "The John

A. Mackay Center". (El Centro Juan A. Mackay). (17) Los clubes históricos de los estudiantes dejaron de existir. El otro edificio importante que fue construido durante la administración de Mackay fue la Biblioteca Speer con espacio y comodidad para un seminario en crecimiento. Este bello edificio se levantó en el lugar de dos antiguas construcciones llamadas por los estudiantes "el castillo" y "la cervecería" por su arquitectura anticuada y extraña.

Mackay ocupó la cátedra de ecumenismo durante todos los años de su rectoría. Su curso "Una Introducción al Ecumenismo" fue obligatorio para todos los estudiantes. De modo que ningún estudiante pudo evitar contacto personal por un semestre con el pensamiento misionero global de Mackay. Un proyecto de su vida, el libro *Ecumenics: Science of the Church Universal*, (El Ecumenismo: Ciencia de la Iglesia Universal), no llegó a ser impreso sino hasta el año 1964. Este libro representa el contenido general del material académico que Mackay presentó en su curso. (18)

Preocupación por las relaciones entre el Seminario y la Ciudad de Princeton

Después del fin de la Segunda Guerra Mundial y la explosión de la bomba atómica, el doctor Robert Oppenheimer, uno de los inventores principales de la bomba, fue designado director del prestigioso Instituto de Estudios Superiores en Princeton. Hubo un profundo resentimiento en el pueblo de Princeton contra el doctor Oppenheimer por el papel que el jugó en el desarrollo de la bomba atómica y las alegaciones contra él por el Comité Mc Carthy. Oppenheimer era considerado persona *non-grata* en Princeton.

Pero Mackay ofreció un lugar de reuniones en el plantel del Seminario de Princeton para una reunión pública a fin de recibir publicamente al científico como residente del pueblo y vecino del Seminario. Mackay también trataba a su vecino el doctor Albert

Einstein (él vivía a tres casas de distancia en la misma calle) con la misma cortesía y amistad.

Según Mackay, todos los seres humanos incluyendo a los doctores Oppenheimer y Einstein, a pesar de su posición política o religiosa, deben ser respetados en su dignidad porque son criaturas de un mismo Dios y miembros de una sola familia humana.

Mackay: líder prominente de la Iglesia Presbiteriana y de la Iglesia Universal

Mackay dedicó mucho de su tiempo durante veinte y tres años a servir en la vida nacional de su denominación. Representó a la Iglesia Presbiteriana en la Asociación de Seminarios Teológicos por varios años y fue presidente de 1948 a 1950 de dicha entidad. También fue miembro de la Junta de Misiones entre los años 1939- 1951, sirviendo a la vez como presidente entre 1944 y 1948. En 1953 fue elegido Moderador de la Asamblea General en un período crucial de la denominación. Mackay siempre fue un promotor de la reunificación de la Iglesia Presbiteriana (de E.U.) o "del Sur" y la Iglesia Presbiteriana (de E.U.A.), o "del Norte" durante toda su vida. El mismo día en que Mackay murió, el 9 de junio de 1983, las dos Asambleas Generales votaron en Atlanta, Georgia, ratificar la reunión de la familia presbiteriana.

Mackay tuvo una participación muy significativa en el Comité Provisional del Consejo Mundial de Iglesias y como miembro del primer Comité Central de1948-1954. También presidió el Consejo Misionero Internacional de 1947 a 1957 y de la Alianza Mundial de Iglesias Presbiterianas y Reformadas de 1954 a 1959.

Mackay: siempre "sobre el Camino" en la lucha por la justicia y la reconciliación

El no se quedó en "el balcón" como observador, sino que bajó "al camino" cuando escuchó el llamado de Dios para actuar. Habló claramente a favor del reconocimiento diplomático de los Estados Unidos de la República Popular de China en 1949 y por esa declaración fue atacado por todos lados. Se opuso también a la política anti-comunista del senador Joseph Mc Carthy en el Congreso cuando el senador de Wisconsin llamó a las iglesias cristianas "semilleros del comunismo". Esta postura de Mackay le impulsó, en noviembre de 1954, a escribir un documento llamado "Una Carta a los Presbiterianos". Esta declaración histórica, publicada el mismo día de su divulgación en la primera página del bien conocido periódico *The New York Times*, era un fuerte llamado a la Iglesia Presbiteriana a cumplir su misión profética. La "Carta" afirmaba que hay un orden de Dios que está sobre todos los regímenes de los hombres y que a Dios sólo debemos nuestra única lealtad.

El periódico francés *Le Monde* de París también la publicó en su texto completo y así "La Carta" fue divulgada mundialmente. Este documento marcó el retorno a un nuevo enfoque en la Iglesia Presbiteriana en referencia al comunismo como una revolución social que requería una respuesta por parte de las iglesias cristianas y por parte de las democracias del mundo. (19)

Eugene Carson Blake, secretario permanente de la Asamblea General, dijo que Mackay fue uno de los pocos hombres que él había conocido que no cambió su punto de vista político entre 1938 y 1958. (20)

Antes y durante la Segunda Guerra Mundial, Mackay escribió una serie de artículos en *The New York Times Magazine* sobre la política internacional desde una perspectiva cristiana. En 1940 antes de la entrada de los Estados Unidos en la guerra, Mackay cuestionó si los Estados Unidos como nación no tenía una responsabilidad en cuanto a ciertas causas del conflicto mundial. En

1943 rogó en otro artículo que la nación demostrará misericordia con los enemigos:

"Que Dios nos haga magnánimos para incorporar misericordia con justicia a fin de alcanzar una paz duradera".(21)

El último artículo de la serie en que abogó a favor de un trato más humano para con los enemigos nunca fue publicado. Los redactores de *The New York Times* resolvieron que no era conveniente imprimirlo.

Mackay tuvo enemigos con quienes rompió "muchas lanzas". Pero todo el mundo que le conoció, incluyendo sus opositores, tarde o temprano usaron la misma frase para describirle:

"Mackay es un gran hombre; un alma grande". (22)

C. LOS AÑOS DE LA JUBILACIÓN (1959 - 1983)

Chevy Chase, Maryland (1960-69) y Hightstown, New Jersey (1969-83)

Un retorno a los afanes hispanoamericanos (1959-1969)

Los Mackay se trasladaron a Chevy Chase, Maryland, un suburbio de Washington,D.C. en 1960. Allí encontraron "un hogar espiritual" en la Iglesia Presbiteriana de Chevy Chase y la oportunidad en la zona capitalina de renovar muchas amistades de antaño con personas como Canon Wedel de la Iglesia Episcopal, Georgia Harkness, teóloga metodista y John Foster Dulles, laico presbiteriano, recién jubilado del Departamento del Estado. Un grupo de estos veteranos de los primeros días del ecumenismo se reunieron de vez en cuando para almorzar y platicar juntos sobre los tiempos pasados.

La Universidad Americana de Washington, D.C. invitó a Mackay a ocupar un puesto *ad-honores* de Profesor-Adjunto del

Pensamiento Hispánico (1961-64), mayormente para asesorar a los candidatos al doctorado en estudios hispanoamericanos. Mackay estuvo muy contento con esta oportunidad de trabajar con este tipo de estudiantes, algunos con larga experiencia en América Latina. Les orientó en cuanto a bibliografía y el enfoque de sus investigaciones. En particular, Mackay demostró mucho interés en dos investigaciones doctorales sobre "El Plan de Cincinnati de 1917" y "Moisés Saenz, indigenista y educador" relacionadas con la historia del protestantismo mexicano. Fue invitado por muchas entidades para dictar conferencias sobre América Latina y la obra misionera.

Mackay nunca se olvidó de sus estudiantes. Aun después de su jubilación los recibía con el interés y entusiasmo de siempre para celebrar sus logros o aconsejarles en sus penas. Un compañero relata la siguiente experiencia: "Yo estaba pasando por una crisis en mi familia y en mi vocación pastoral en 1962. Fui al seminario para disfrutar de un período de estudio y recuperación. Escribí a Mackay a Washington, D.C. donde vivía jubilado. En seguida me escribió una larga carta de consejo y preocupación pastoral. Y agregó que se dio cuenta por la dirección que yo estaba viviendo en el mismo cuarto en Hodge Hall donde el había vivido en 1914-15."

En 1961 los Mackay hicieron un viaje largo por todo el mundo. El había aceptado ser el conferencista Cook bajo los auspicios de la Asociación de Universidades Cristianas de Asia. Dictó conferencias en seminarios y universidades en el Japón, Hong Kong, las Filipinas, Tailandia y la India. Durante su jubilación tuvo tiempo para terminar su libro titulado: *Ecumenics : Science of the Church Universal* (El Ecumenismo: Ciencia de la Iglesia Universal) en 1964 y un libro devocional *His Life and Our Life* (Su vida y nuestra vida), en el mismo año. También logró ver la terminación de un proyecto de siete años que fue la traducción al español de *God's Order* (El Orden de Dios) un estudio bíblico sobre la carta a los Efesios que había sido publicado en inglés en 1957. La traducción fue hecha por su amigo mexicano de muchos años, el doctor Alberto Rembao y fue publicado en México en 1964, por Casa Unida de Publicaciones. *El Sentido Presbiteriano de la Vida* fue traducido al español por el presbítero Abel Clemente en 1969 y publicado por El Faro en México.

Dos publicaciones que tuvieron particular significado para Mackay en los años 1969 y 1970 fueron *Christian Reality and Appearance* (1969) y la traducción al español del mismo libro *Realidad e Idolatría en el Cristianismo Contemporáneo* (1970) Publicado por la Aurora de Buenos Aires. Este libro tuvo su origen en las conferencias que Mackay presentó en 1952 en el Seminario Presbiteriano de Austin, Texas y en la Facultad Evangélica de Teología en Buenos Aires, Argentina en 1953. La tesis de estas conferencias es que el Cristianismo contemporáneo tiene que luchar contra cuatro "idolatría" en la actualidad: la de las ideas, la del sentimiento, la de la iglesia institucional y la de los preceptos legalistas. Junto con su libro sobre el ecumenismo, *Realidad e idolatría* representan el pensamiento más completo de Mackay sobre eclesiología.

En el otoño de 1963, Mackay visitó a Cuba para participar en una reunión sobre "La Naturaleza y la Misión de la Iglesia en Cuba Hoy Día". El escribió en la revista *The Christian Century* sobre la libertad ámplia de que gozaban las iglesias allí en comparación con lo que tenían los protestantes en España. El denunció el bloqueo por los Estados Unidos a Cuba como "moralmente reprensible, practicamente inútil y políticamente desastroso". (23) Los exiliados cubanos le atacaron ferozmente con cartas al redactor. Mackay respondió con otro artículo. (véase página 181)

En 1965 volvió a América Latina en una gira de nueve semanas bajo los auspicios de la Asociación Cristiana de Jóvenes. Al regresar escribió también dos artículos más en *The Christian Century* sobre la revolución que estaba arrastrando el continente. Mackay tomó nota del ambiente cambiante en las iglesias con el primer impacto de las recomendaciones del Concilio Vaticano II y el aumento creciente del movimiento pentecostal. No perdió tampoco la oportunidad para recordar con las siguientes palabras a la Asociacion Cristiana de Jóvenes que debía ser más claramente cristiana y que "en su programa para ayudar a sus miembros a enfrentar la situación contemporánea a la luz de Jesucristo... la Asociación Cristiana de Jóvenes tiene que moverse más allá de un programa meramente recreativo y educativo para llegar a ser inequivocamente y firmemente cristiana..." (24)

Mackay fue asesor de la Comisión sobre Relaciones Interamericanas de la Asamblea General de La Iglesia Presbiteriana E.U.A., en los años 1966-69. Esta comisión presentó su informe "Ilusión y Realidad en las Relaciones Interamericanas" a la Asamblea General en San Antonio, Texas en 1969. Mackay fue autor de algunas secciones de este informe, en particular en la sección teológica en que advirtió a los Estados Unidos acerca del peligro de contemplarse como "un Mesías" para salvar a América Latina. (25) En el mismo período fue asesor también del Instituto Hispanoamericano fundado en Texas en el plantel del Seminario Presbiteriano de Austin en 1967. Este Instituto se estableció para orientar a las iglesias acerca de las realidades hispanas dentro de las fronteras norteamericanas.

Durante la década de los años de 1960, se inauguró una conferencia anual católica-romana de cooperación interamericana, y que fue celebrada en diferentes ciudades grandes de los Estados Unidos. Llegaron sacerdotes, misioneros y algunos obispos para reflexionar sobre los cambios en las iglesias del hemisferio. Mackay fue invitado para dictar una conferencia en una de estas reuniones magnas en Washington, D.C. en 1967 cuando tenía setenta y siete años. Su tema fue "Perspectivas Históricas del Protestantismo". Empezó su discurso con estas palabras:

"Nunca en mi vida, me he sentido tan conmovido como en esta noche para dirigirme a esta reunión..."

El tuvo la oportunidad de referirse al espíritu "del otro Cristo español" moviéndose en la iglesia contemporánea en América Latina. Dijo Mackay:

"¿Será demasiado decir que hoy día vemos moviéndose.. al Cristo Vivo de Teresa de Avila, Luis de León, Bartolomé de las Casas y William Morris?." (26)

A pesar de las acusaciones de que Mackay había sido anti-católico, él tuvo la madurez teológica y la comprensión histórica para afirmar el amanecer de un movimiento de renovación espiritual y teológico en la Iglesia Católica Romana en las décadas de los 1960 y 1970.

"Yo prometí a mi esposa que no iba a viajar más"

Cuando los Mackay se trasladaron a "Meadow Lakes", un centro residencial para jubilados cerca de Hightstown, New Jersey, Mackay dijo al autor:

"Yo he viajado tanto en mi vida y mi esposa ha tenido que quedarse sola por semanas y meses. Ahora le prometí que no iba a viajar más".

La salud de la señora Jane era precaria y tenía que permanecer en cama gran parte del día. Mackay viajaba semanalmente por autobús los diez kilómetros de Hightstown a Princeton para trabajar en su escritorio en la Biblioteca Speer y almorzar en casa de su hija, Isobel. Recibió visitas en Princeton y también en su apartamento en "Meadow Lakes", siempre con mucha cortesía y delicadeza. El autor y su esposa recuerdan en una ocasión cuando fueron invitados a almorzar con el doctor Mackay en el comedor comunitario en "Meadows Lakes" en 1977. La mesera que nos atendía accidentalmente dejó caer una jarra de agua caliente sobre las piernas de nuestro anfitrión. ¡La preocupación de Mackay fue más por la joven apenada que por su traje mojado y las piernas quemadas!

Cuando la madre del autor murió a los noventa años en 1977, él recibió esta carta de Juan A. Mackay:

"Sentimos la muerte de tu madre y compartimos contigo esta pena. Pero en nuestra existencia humana, sea en este mundo o en el mundo más allá, estamos en las manos de Dios y en la luz y fuerza de El quien nos amó y se entregó por nosotros... Estoy ahora escribiendo mi autobiografía con el título "La Mano y el Camino". Mi propósito es comprender en esta obra lo que Dios en Jesucristo ha significado en mi peregrinación desde que El me asió cuando era adolescente entre las colinas de Escocia. El ha sido mi Guía y Guardián desde aquel día..." (27)

Durante los últimos años de su vida, el Seminario de Princeton celebró su cumpleaños en la ocasión de la reunión anual de los exalumnos. En 1979 cuando el doctor Mackay cumplió noventa años, él vino a Princeton y respondió a las felicitaciones con estas palabras:

"Yo llegué a este seminario procedente de mi querida patria, Escocia, antes de la Primera Guerra Mundial. Una de las realidades más grandes de mi peregrinación se encuentra en el versículo: 'Mis tiempos están en Tus Manos, Oh Dios...' "La Mano de Dios me ha guiado a través de los años hasta a este momento. Siento que este momento es uno de los momentos más estratégicos en la historia de la Iglesia cuando Dios llama a la Iglesia para ser un instrumento de Su Gloria y para ser Su Siervo en el mundo..." Y al finalizar sus saludos a los exalumnos se refirió a su esposa, "Les saludo en nombre de Jane Logan Wells, mi querida compañera de la vida desde los días cuando estudiamos juntos en Aberdeen. Nuestro destino es uno. A pesar de su condición física, pasamos una hora juntos todos los días... Ella ha sido la realidad clave en mi vida". (28)

El doctor Tomás Torrance eminente estadista eclesiástico de la Iglesia de Escocia envió las siguientes palabras laudatorias sobre Mackay: "Mackay no es solamente un patriarca de Princeton y de los Estados Unidos, sino también de su Escocia natal y del mundo reformado entero".

Juan A. Mackay pasó los últimos años de su vida en compañía de su amada esposa, Jane, en "Meadow Lakes". La señora Jane, ciega durante los últimos diez años de su vida, decía a sus amistades; yo tengo una Biblioteca muy grande - La Biblia, y yo he memorizado mucho de ella. El doctor Mackay partió en paz de esta vida el 9 de junio de 1983; cuatro años más tarde murió la señora Jane en abril de 1987.

NOTAS SOBRE EL TEXTO.

1. Juan A. Mackay "On the Road" *"The Christian Century"* 56:875, July 12, 1939.

2. Harbison, op. cit. p.11

3. Juan A. Mackay, *That Other America, p.x.*

4. Ibid., 12-13

5. José Ortega y Gasset, *"El Heraldo de Antioquia",* Medellín, Colombia, 22 de enero de 1936. Un repaso del libro *That Other America.*

6. Véase Juan A. Mackay, *International Review of Missions,* XXII, (1932), 182.

7. Véase Juan A. Mackay *"Witherspoon of Princeton and Paisley",* '"Theology Today", XVIII, NO. 4 (1962), 473-481.

8. Véase Timothy J. West, "John Alexander Mackay and the Princeton Seminary Tradition", mss. inédito, 1985.

9. Juan A. Mackay "Concerning Man and His Remaking". *The Princeton Seminary Bulletin,* December, 1936, Vol. XXX,3

10. Véase *The Princeton Theology*: 1912-1921. Mark A. Noll,ed., 1983.

10b. John Vent Stephens, *The Auburn Affirmation*, Lane Seminary Bldg. Cincinnati, Ohio, 1939. p. 22

11. Citada por E.H. Rian en *The Princeton Conflict.*

12. Juan A. Mackay, op. cit., 6

13. Juan A. Mackay, "The Restoration of Theology", *The Princeton Seminary Bulletin,* April, 1937, Vol.XXX,l.

14. Robert E. Speer, *The Princeton Seminary Bulletin*, April, 1937, Vol.XXXI,6.

15. Harbison, op. cit., 15.

16. Ibid., 15 - 16

17. Véase Juan A. Mackay, *The Princeton Seminary Bulletin*, XXXV. (1941), No. 1,1; H.Brown, ibid., XXXVII (1943),No.1,27 y J.Quay, ibid., XLV (1951), No. l,12.

18. Véase Juan A. Mackay, *The Princeton Seminary Bulletin*, XXXI (1937), No. 16,21 y Juan A. Mackay "The Aims and Functions of Ecumenics in The Seminary", Conference of Professors of Ecumenics, September 2, 1957, 3-4.

19. Harbison, op.cit., 34

20. Ibid., 17

21. Ibid., 17

22. Ibid., 34

23. Juan A. Mackay,"Cuba Revisited", *The Christian Century,* February 12, 1964, 124.

24. Juan A. Mackay, "Latin America and Revolution", I and II. November 17 and November 24, 1965.

25. Informe a la Asamblea General del Comité Asesor sobre Asuntos Interamericanos 1969. Traducción disponible al Español.

26. Goodpasture, op.cit., 291-292.

27. Carta personal de Juan A. Mackay al autor, 4 de agosto de 1978.

28. Tomada de una cinta grabada el día 29 de mayo de l979. traducción por el autor.

IV. JUAN A. MACKAY-- UNA INTERPRETACIÓN

Para valorar la vida y obra de Juan A. Mackay tenemos que contemplarla desde la perspectiva de sus escritos, su participación en la iglesia y la sociedad y a través de su propia vida como amigo y mentor de dos generaciones de líderes cristianos.

Sus escritos se pueden considerar en tres categorías: bíblicas y devocionales; teológicas y eclesiológicas, y obras de carácter histórico y filosófico.

En la primera categoría se encuentran *Mas yo os digo, El sentido de la vida, El orden de Dios y el desorden del hombre*, y *His Life and our Life* (Su vida y nuestra vida). En estos libros se ve la disciplina de un estudiante erudito de las Sagradas Escrituras. En la segunda categoría se encuentran los libros de carácter teológico y eclesiológico: *Prefacio a la teología cristiana, Heritage and Destiny*, (Herencia y Destino), *Christianity of the Frontier*, (Cristianismo en la Frontera), *El sentido presbiteriano de la vida*; *Realidad e Idolatría en el cristianismo contemporáneo* y *Ecumenics: Science of the Church Universal*, (El Ecumenismo: Ciencia de la Iglesia Universal).

El tercer grupo de sus obras es de carácter histórico y filosófico: *El otro Cristo español, That other America,* (Esa otra América) y *Don Miguel de Unamuno: su personalidad, obra e influencia.*

Se recuerda a Juan A. Mackay en la historia misionera y ecuménica del Siglo XX por sus contribuciones a la formación de líderes cristianos, mayormente en América del Norte y en América Latina, pero también a los graduados del Seminario Teológico de Princeton que viven y trabajan en otros continentes. Mackay fue conocido también por miles de cristianos que escucharon sus conferencias durante sus giras internacionales y que han leído sus libros traducidos a varios idiomas.

Muchas personas hablan de Mackay como "el teólogo del Camino". Así lo era por esa figura bíblica que él representaba de tantas maneras. Otros piensan en Mackay como evangelista y misiólogo tanto por sus dones en la predicación como por su estilo polémico y su pensamiento de estrategia misionera. El movimiento ecuménico mundial le queda en deuda por el liderato incansable a través de tres décadas en el Comité Provisional del Consejo Mundial de Iglesias y en el Concilio Misionero Internacional desde Jerusalén en 1928 a Lima, Perú en 1961. En particular la Iglesia Presbiteriana (E.U.A.) reconoce los aportes que él hizo como presidente de la Junta de Misiones en el Extranjero, su participación activa en varias comisiones claves de la denominación y su liderazgo profético como Moderador de la Asamblea General en 1953-54 cuando "el Macartismo" amenazaba la libertad de las iglesias. Como rector del Seminario Teológico de Princeton durante veintitres años dejó un impácto tan notable que el doctor Lefferts Loetscher, el profesor distinguido de historia eclesiástica de dicha institución le llamó "el segundo fundador del Seminario de Princeton".

La sociedad en general también recibió de Mackay muchas contribuciones en cuanto a la cruzada por la justicia social. En este aspecto se incluyen su contribución duradera de sus luchas en favor de la libertad de culto en América Latina, la separación de Iglesia y Estado en los Estados Unidos, los derechos de las minorías y el apoyo personal e institucional de muchas causas por la justicia social en las décadas 1930 a 1970. Finalmente Juan A. Mackay no fue un eclesiásico teórico y distante, sino un amigo humilde y leal, un consejero accesible, un corresponsal infatigable, la inspiración de pastores de iglesias pequeñas y grandes en sus tareas cotidianas y "un pastor de almas" según los votos de su ordenación ministerial.

Mackay: su estilo como pensador y escritor

El pensamiento de Juan Mackay se puede comparar al aforismo simbólico de Miguel de Unamuno quien aconsejaba a sus discípulos: Que uno se enamore con una gran idea; que se case con ella, forme un hogar y críe con ella una familia.

Para Mackay una vida no comprometida, sea en la vida secular o religiosa, no es digna de vivirse y es tan reprensible como una vida sin rumbo. Temprano en su vida Mackay aprendió a ser responsable en cuanto al uso de sus ideas. Para el, fue indispensable pensar con claridad y precisión. Así Mackay ganó cuando jóven el premio de honor en la filosofía y fue invitado a entrar en una carrera académica en Aberdeen. Y por esa misma razón no pudo quedarse dentro de la rigidez del pensamiento de la Iglesia Presbiteriana Libre. Mackay fue siempre pensador vigoroso.

Esta pasión por las ideas le causó a veces algunas dificultades. Por ejemplo, él confesó que se sentía incómodo en ciertas ocasiones de carácter social y con las travesuras de los estudiantes. Mackay era intenso, solemne y preocupado en la reflexión cuando otros se distraían despreocupadamente. Pero Mackay no fue un hombre que no pudiera reirse de un buen chiste o de alguna broma. (1)

Sus ideas netamente cristianas y cristocéntricas no le permitieron ser un pensador abstracto y filosófico de las ideas en general. Nada fue más repugnante para Mackay que un pensador sin apasionamiento y sin compromiso. En su pensamiento él rechazó la perspectiva de balcón y del espectador. El pensar era un negocio serio. (2)

Mackay usó muchos símbolos y figuras literarias. Este uso no fue para producir un efecto estético, sino, para vestir con carne y hueso sus ideas. En cierta ocasión él escribió en un artículo títulado "La Verdad como bandera": las siguientes palabras:

"En esta época de la historia cuando los símbolos juegan un papel revolucionario y decisivo en la determinación del destino humano, cuando el atado de varillas de los facistas, la swástika de los nazis y la hoz y el martillo de los comunistas han proporcionado en términos gráficos a millones una filosofía y les han despertado a acciones revolucionarias, una gran tarea se presenta para el pensamiento cristiano. Se necesita una figura popular y auténtica de la verdad para impartir una perspectiva y animar la acción." (3)

Cuando se construyó la Biblioteca Speer en el Seminario Teológico de Princeton, Mackay concibió el plan de dejar encerrados en la torre del edifico doce símbolos en dos columnas paralelas: la primera columna representa la obra del Dios Padre, el Hijo y el Espíritu Santo y la segunda los símbolos de la comisión, la vida y obra de la Iglesia Cristiana al cumplir su Misión. Mackay dijo "Estos doce temas dramatizan una estructura teológica..." (4)

El vocabulario de Mackay fue rico en palabras nuevas, palabras revivificadas, figuras literarias imaginativas y definiciones bien refinadas. Sin esta dimensión del pensamieno de Mackay, su teología no podría haber tenido tanto impacto sobre sus lectores y oyentes. (5) La elegancia de hablar de Mackay fue notable. Cuando otros líderes se ataban la lengua frente a las amenazas del Senador Mc Carthy en la decada de los años 1950, Mackay le denunció sin temor y con claridad. Pero hay que notar que a Mackay se recuerda, según sus amigos, también por su manera elegante de decir lo ordinario, tal como, en vez de decir "Ya se hace tarde", Mackay decía i"Ya me doy cuenta que estamos circunscritos por el tiempo!".

Mackay era hombre de presencia en cuanto a su estatura y cuerpo. Gozaba de un vigor físico envidiable durante toda su vida. Luis Alberto Sánchez, exvicepresidente del Perú y amigo de Mackay en su juventud, recordó ese aspecto de su personalidad en su homenaje en 1973 diciendo:

"Mackay con su aire angelical, con su hablar suave, con su mirar penetrante, era lento para responder, no porque le faltaran palabras sino porque no quería que le sobraran que es cosa diferente, bastante diferente." (6).

El doctor Paul H. Lehman en cierta ocasión se refirió a "la estatura real" de Mackay y dijo: "Mackay sobresale en todo sentido a sus contemporáneos". (7) Y en otra ocasión un estudiante dijo de Mackay: "¡El era un gigante para mí; pero siempre un gigante benévolo...él sabía como amar!" Y Alberto Rembao, el Editor de la revista *La Nueva Democracia*, llamaba a Mackay "El Caballero Andante del Reino de Dios".

A. MACKAY: EL TEÓLOGO

La teología del Camino

En 1950 Mackay consideró que el había escrito, sin intención, una triada: *Prefacio a la Teología Cristiana* en 1942 sobre el tema "Deja el balcón por el Camino" y *Heritage and Destiny* en 1943 sobre el tema "El Camino de mañana pasa por el Camino de ayer"; por último el tercer libro Christianity on the Frontier en que elaboró el tema "Escoge el Camino que te lleva a la Frontera". (8)

En cierto sentido la esencia de la teología de Mackay se enmarca dentro de tres puntos esenciales:

(1.) Una teología que valoriza el compromiso más que la contemplación;

(2.) Una teología que afirma sin vacilación las grandes verdades de la herencia cristiana, y

(3.) Una teología de "aventura" en cuanto al encuentro existencial en la historia entre las fuerzas seculares y la fé cristiana.

"Deja el balcón por el camino"

Mackay presenta los temas teológicos dentro del contexto de exposiciones y personajes de la Biblia. En su libro *Prefacio a la teología*, (1943) amplía la narración muy conocida del camino a Emmaús después de la Resurrección con la figura del "balcón" un aspecto de la arquitectura tan conocida en países latinos. Escribe sobre "El camino moderno a Emmaús" por donde caminan los díscipulos tristes y descorazonados tal como se reflejan en la "tranquila desesperación" de Pascal y en la "búsqueda angustiosa" de Schweitzer y Paul Elmer More. Mackay señala que "...el despertar teológico que tanto necesita la Iglesia contiene las tres épocas del espíritu humano según la parábola de Nietzsche en que se mencionan las figuras del camello, del dragón, del león y del niño en el desierto, es decir: "...la pasión por el conocimiento, el feroz repudio a la autoridad y el nuevo comenzar de la mente que asume la actitud del niño." (9)

Dentro de este contexto, Mackay presenta una teología del encuentro con lo Divino en el Camino de la Vida. El dice: "Lo que más necesitamos en este momento no es una defensa de la religión, del Cristianismo o de la Iglesia cristiana. Lo que los hombres anhelan es que el pensamieno se convierta en un medio a través del cual ellos puedan escuchar Una Voz que venga del más allá que les ayude a percibir el perfil de un Rostro.... La única respuesta adecuada a este anhelo es la Revelación" (10) Ese Rostro y esa Voz, según Mackay, se revelan y se descubren en el Camino, no en el Balcón de la contemplación. El principio de este encuentro con Lo Divino es dado al ser humano cuando acepta la soberanía de Dios sobre su vida y camina con Dios en el Camino.

Mackay utiliza las imágenes literarias de Juan Bunyan en *El Peregrino* en donde la calidad de la vida se ve cuando aparece la conciencia del pecado. En esa experiencia el ser humano tiene que enfrentar la pregunta crítica. "¿Qué debo hacer para ser salvo?". "Es entonces cuando el león se convierte en niño. Porque nadie es tan semejante a un niño, nadie tan lleno de sencillez, expectativa y asombro, como un pecador completamene despierto. El Portillo y la Cruz, el Castillo de la Duda y el Valle de la sombra de Muerte, la Casa del Intérprete y las Montañas Deleitosas, que para el estudiante de la religión que vive una existencia balconizada no tienen más que un interés teórico, son realidades vivas para el peregrino del Camino".

Mackay continúa con el tema en *Prefacio a la teología cristiana* para demostrar los resultados de esta "búsqueda y encuentro" en cuanto a la necesidad de buscar las huellas de Dios en la naturaleza y en la cultura por medio del Libro de los libros y en el Gran Encuentro del creyente con su Dios. Jesucristo se revela en estos encuentros como la Verdad Personal "el sitio donde se eleva una Cruz y uno experimenta el auxilio del perdón divino, y en donde el alma se apodera de una profunda exhalación, y con Pablo de Tarso se gloría en la Cruz de Cristo". (11)

Mackay continúa profundizando esta perspectiva teológica de lo que significa el compromiso con Cristo para la historia y con la comunidad humana en la Iglesia: "El encuentro de un espíritu humano con Jesucristo, la Verdad da origen a una calidad especial de vida personal y una forma particular de vida colectiva". (12) Esa calidad especial de vida se comprende a través de la historia y agrega:

"En Jesucristo, el mundo de Dios entró en la historia en un sentido único y con consecuencias trascendentales. Lo más trascendente fue la función de una nueva sociedad, la Iglesia Cristiana, que es el cuerpo de Cristo..." (13)

También se nota la diferencia en la cultura y en el mundo secular cuando Jesucristo es visto en su dimensión humana. Mackay cita a Maritain "¿Acaso no es la hora de que la santidad descienda del cielo de lo sagrado... a las cosas del mundo profano y de la cultura y trabaje por transformar el régimen terrenal de la humanidad y haga obra social y política? Sí, ciertamente, a condición de que siga siendo santidad y no se pierda por el camino". (14)

Mackay escribe sobre el impacto de este encuentro acerca de la comunidad en el capítulo de *Prefacio* titulado "Yo y mi Hermano". En sus palabras sobre la Iglesia y el orden secular él habla del rol profético, regenerador y comunitario de la Iglesia. Finaliza este libro con una nota de esperanza para los discípulos modernos del Camino a Emmaús:

"Porque el camino a Emmaús es todavía nuestro camino, el Gran Compañero, quien lo transitó en aquel entonces, camina allí todavía, para guiar a los peregrinos en esa hora crepuscular a la gloria de un nuevo amanecer." (15)

"El camino de mañana pasa por el de ayer "

Mackay escribió en su libro *Heritage and Destiny* (Herencia y Destino) en los años 1941-42 cuando los Estados Unidos estaban entrando en la Segunda Guerra Mundial. Por eso hace referencia en este libro a las amenazas inmediatas a los valores cristianos del Occidente. No es de extrañar que él escogiera una experiencia personal de su juventud (muchas veces recontada por Mackay) que él llamó "la filosofía del barquero" de cómo en la vida llegamos a nuestro destino guiados por hitos históricos dejados atrás. (Véase páginas 45-46). (16)

Para Mackay la palabra "recordar" es la palabra clave de la religión Cristiana. El se refería al mandato de Jesús "Haced esto en memoria de mí" como un ejemplo de lo significativo que es la memoria sagrada. El afirmó que el verdadero cristianismo se basa en la verdad encarnada en la historia. Esta verdad es superior a los límites temporales de la filosofía. Dios, el Eterno, entró en la historia temporal y así se manifestó entre y por la historia y para la historia. Dios nos llega a la memoria, en una acción retrospectiva cuando escudriñamos el registro bíblico. Allí se encuentran sendas con huellas del Todopoderoso. Para comprender a Dios hoy día, es preciso volver a andar con El por las sendas del ayer.

Mackay sigue diciendo que así Dios es "Nuestro Contemporáneo" que se revela también por el Camino del Presente. Contemplamos los rostros iluminados por la luz del Eterno. Escuchamos las voces que nos comunican palabras de sabiduría eterna. Vemos los lugares donde se notan los hechos de Dios en la historia del mundo. Dios se nos hace presente en el día de hoy y lanza sus desafios tal como El se reveló a nuestros antepasados en la fe. Para encontrar y someternos a Dios en Cristo y por la fe es comenzar a andar sobre una nueva senda del destino. (17)

En resumen, la tesis de Mackay es: El sentido de la herencia es el principio determinante del destino. Este destino del hombre se cumple a través de la historia cuando Dios llega a ser la herencia verdadera de la vida personal, cultural y nacional. Mackay desarrolla esta idea en relación con el pueblo de Israel y Dios, el individuo y Dios, la cultura y Dios, la nación y Dios. En realidad Mackay establece el diálogo entre los participantes de la sociedad actual y las realidades de su herencia. Tal diálogo tuvo un significado profundo durante los años de la Segunda Guerra Mundial cuando *Heritage and Destiny* (Herencia y Destino) fue leído por la generación de los años de 1940. Fue una década cuando los cimientos de la civilización occidental estaban en peligro de ser destruidos. Pero al leer los mismos pensamientos en el principio de la década de los años de 1990, Mackay sigue hablandonos claramente de otras amenazas en nuestros tiempos. Al contemplar el medio siglo desde que fue escrito este libro, el tema "el camino de Mañana pasa por el de Ayer" tiene un eco contemporáneo.

"Escoge el camino que te lleve a la frontera"

Mackay afirma que el orden de Dios es aquel que los cristianos no pueden pensar, ni sentir, ni organizar para encontrar su camino hacia su destino verdadero por sí sólos. Los Cristianos, cuya fuente de vida en la esfera celestial son de Cristo, tienen que actuar "en el Señor" en su esfera terrenal. Cada Cristiano maduro debe hacerlo individualmente como una persona y no meramente como miembro de una sociedad. Dios quiere que los ciudadanos del Reino se muevan, luchen y avancen hacia las fronteras donde están los problemas cruciales de la vida, caminando siempre adelante y nunca darse por vencidos.

El sentido de "frontera", el sentido de todo movimiento hacia adelante, como peregrinos siempre listos para emplear las armas del Espíritu, ha de llenar la mente y el alma del cristiano. Mackay contempla al cristiano siempre como "una persona fronteriza" o de frontera.

El Cristiano no puede vivir en un mundo religioso privado, ni resignarse a la existencia de un monasterio ni de un *ghetto*. En la esfera vocacional, los cristianos se deben mover siempre en las fronteras del orden natural, que según Mackay, son la esfera doméstica del hogar, la esfera de la vida pública y de negocios. En su vida de "frontera" los cristianos son llamados a ocupar y a evangelizar todos los espacios desocupados en el mundo y en la vida vocacional de la humanidad. A ellos se les llama a confrontar el reino hostil de los "principados y potestades" que trata de demorar la llegada del Orden de Dios y su Reino. [18]

Para Mackay, la Iglesia es verdaderamente la Iglesia cuando vive como peregrina sobre el camino del propósito redentor de Dios, siempre acampando y extendiéndose sobre los límites escabrosos del Reino. Aunque la Iglesia se proclama como la institución más venerable y sea el orgullo de una nación, cultura, y época, la Iglesia puede estar muerta, cuando el espíritu del pionero desaparece de su visión y el desafío de la aventura con

Dios no la despierta más, entonces la Iglesia ha dejado su razón de ser.

Solía decir Mackay que para la Iglesia y los Cristianos "éste es un día para tiendas de campaña y no para catedrales". (19) Pues el era visionario en cuanto a las tareas del Reino de Dios. Para Mackay, el llamado misionero de la Iglesia es una de aventura y avance sobre terrenos desconocidos y desocupados.

"Nuestro Señor es el Cristo de la Frontera. El vive en los senderos del desierto. Donde los problemas son más agudos y el combate más feroz y los riesgos más peligrosos, allí está El. iQue sea el Cristo de la Frontera, aquel que seguimos!". (20)

Mackay critica a la Iglesia que no se lanza al océano de la vida con un sentido de aventura. El usa una ilustración que sin duda alguna se basaba en su propia experiencia al cruzar por barco el Canal de Panamá que atraviesa el Istmo de Darien con sus cordilleras visibles en la distancia al llegar y al salir del Canal.

El compara la Iglesia a un barco que pasa por las exclusas del Canal de Panamá y que es arrastrado por locomotoras eléctricas por los dos lados y sostenido por otras dos locomotoras detrás. Pero llega el momento cuando los cables se sueltan de popa y proa y el gran navío, ahora bajo su propia fuerza y bajo el mando de su propia tripulación, debe salir del canal angosto, pasando por las islas cubiertas de palmeras, hacia el océano en donde pronto la playa se pierde de vista. Mackay dice que la Iglesia, como desde la cumbre de Darien, debe contemplar la expansión vasta del océano como su propia esfera de acción y con el poder regenerado por una experiencia profunda de Jesucristo y un nuevo sentido de destino se dirije a la frontera donde Dios la llama, a las fronteras más allá del horizonte de su visión presente. (21)

A Mackay le encantaba este concepto de "frontera" porque le permitía explorar las expansiones vastas del pensamiento y del servicio que la Iglesia tiene por delante. Por ser visionario, Mackay se profundiza en el concepto. Algunas referencias en sus obras son ilustraciones de este concepto.

En un discurso a la comunidad del Seminario de Princeton en 1948, habló de dos interpretaciónes históricas de la frontera. La primera definición es una zona delineada entre las tierras ocupadas y las no ocupadas. El decía que en la conquista de esta "zona" se puede sintetizar la historia del mundo occidental. Un caso en particular es la frontera americana del Siglo XIX. Esta frontera está entre la civilización moderna y una cultura donde reina la vida primitiva. Pero esta definición de frontera geográfica no es la que Mackay utiliza.

Otra definición es el espacio vacío entre dos áreas fortificadas como "la tierra de nadie" entre dos campamentos armados. Aún ésta definición carece de la realidad de las fronteras espirituales de nuestros días. La frontera de la vida que nos desafía es más como un abismo ardiendo e iluminando donde es difícil ver el perfil del terreno más allá. Mackay habla del "calor vivo del horizonte que no es como el resplandor de la puesta del sol, sino el rojo feroz del amanecer". Y cita al poeta inglés T. S. Eliot:

> "La única esperanza, o de lo contrario desesperamos,
>
> Se encuentra en escoger entre una ú otra hoguera;
>
> En ser redimido del fuego por el fuego...
>
> Sólo vivimos, sólo suspiramos
>
> Consumidos por uno u otro fuego".*

La "aventura de fé" para Mackay era el avanzar a tierras desconocidas, cruzando el abismo del peligro entre las comodidades de un mundo seguro y familiar a un terreno donde se somete a prueba nuestra fé. El dice que "nuestra pira será aquélla en donde se ponga todo lo que atesoramos para ser consumidos por el fuego o una pira sobre la cual nuestro egoismo humano se ha encendido en una hoguera purificadora" (22) Y después, habla de "iluminar el abismo y organizar la anarquía" como el desafío del cristiano quien quiere vivir con Cristo en la frontera. "La historia nos enseña que el que entrega la vida a algo menos que a la Divinidad, llega al fin de su vida con la nada del abismo". (23)

En resumen la teología de Juan A. Mackay se puede calificar como "una teología del Camino": Un camino donde se conoce al Señor en el caminar: Un camino cuya trayectoria pasa por terrenos conocidos antes de llegar a los horizontes nuevos y desconocidos y un camino que no termina hasta que el peregrino haya explorado con el Evangelio los límites de la existencia humana.

LA TEOLOGIA DE COMPROMISO: Cristocéntrica, ecuménica y misionera

Una apreciación valiosa de la teología de Juan A. Mackay fue preparada por Hugh Thompson Kerr en el capítulo introductorio del libro *The Ecumenical Era in Church and Society*: (La Era Ecuménica en la Iglesia y la Sociedad) *A symposium in honor of John A. Mackay* (Un simposium en honor a Juan A. Mackay) publicado en 1959. Kerr describió a Mackay como teólogo cristocéntrico, ecuménico y misionero. (24)

Mackay: teólogo cristocéntrico

La clave de la teología para Mackay es la Encarnación o la Personificación de la Palabra. Las ideas y los principios, la doctrina y los símbolos todos tienen que encarnarse en personas. La teología cristiana es una teología del Segundo Artículo del Credo de los Apóstoles. Es enfáticamente y explícitamente una teología cristocéntrica.

Para él, la religión cristiana tiene su inspiración y centro en una Persona, Jesucristo. La vida sólo puede realizarse por medio de un compromiso con Jesucristo, el Crucificado y Viviente, quien, como la Verdad Personal, puede ser manifestado a la humanidad como la luz y la vida de Dios. Si Mackay tuviera "un santo", solía decir, habría sido Santa Teresa de Avila por su devoción apasionante de Jesucristo. A pesar de ser crítico de Karl Barth en algunos puntos, Mackay dijo de Barth:

"Para mí personalmente Karl Barth es el teólogo quien ha considerado con mayor justicia la primera y más importante afirmación del Credo Cristiano: a Jesucristo como Señor." (25)

El compromiso personal con la Persona de Jesucristo es la respuesta humana a la revelación divina de Dios. Todo el mundo que escuchó a Mackay orar o hablar en público notaba como él pudo hacer palpar la Presencia Divina de una manera personal e íntima. Para él, uno de los símbolos más significativos de la fé reformada es la figura cimera de Calvino del corazón ardiente con el lema: "Mi corazón te doy, Señor, sinceramente y ansiosamente".

Mackay: teólogo ecuménico

La doctrina de la Iglesia para Mackay se basa en la afirmación "Dondé esta Cristo, allí esta la Iglesia". Nunca pudo aceptar el reverso de esta declaración de ciertos eclesiólogos de la tradición católica romana. Una contribución única y distintiva de Mackay al movimiento ecuménico moderno fue la centralidad de Cristo en la doctrina de la Iglesia. Esto quiere decir que Cristo, como el Señor Personal y Salvador, convida a personas, no a instituciones y organismos, para entrar en un copañerismo de compromiso y obediencia.

Escribió en el artículo con el tema "Una preparación teológica para un encuentro ecuménico" estas palabras:

"La euforia ecuménica está siempre en peligro de pasar por alto el hecho de que en el Nuevo Testamento los componentes de la Iglesia, que es el Cuerpo de Cristo, no son denominaciones u organizaciones, sino almas individuales. La única manera en que la pasión para la solidaridad cristiana.. puede lograr una perspectiva verdadera... es darse cuenta que no hay sustituto para el alma que ha escuchado y ha respondido con obediencia al llamado de Dios..."(26)

Mackay aborrecía la absolutización de cualquier credo, teología, liturgia, regla y estructura en la Iglesia. Para él no era "cristiano" legislar la pureza absoluta, sea de creencia, culto o forma de organización en la Iglesia. El sospechaba de los que, bajo ciertas pretensiones, procuraban manipular a Jesucristo para sus propios fines y de los que juegan con las estructuras de la Iglesia como no teniendo nada que ver con la vida espiritual de sus miembros. (27)

Mackay estaba siempre en la avanzada de su propia denominación y la tradición Reformada. Para él la única manera de enriquecer el movimiento ecuménico era de comprender más a fondo su herencia confesional. Siempre decía que se sentía "más Presbiteriano" cuando estaba envuelto en las tareas ecuménicas. El tenía la visión de una denominación confesional con perspectivas ecuménicas, y nunca de una "super Iglesia".

Mackay: un teólogo misionero

La piedra de toque de la teología de Mackay fue el llamado a la vida sobre un camino "misionero". La ubicación de la Iglesia debe estar siempre en la frontera del mundo geográfico, espiritual e intelectual. El empuje y rumbo de Cristo y de su Iglesia es "Adelante"! Esta palabra resonante de Mackay expresa mejor su convicción de que la Iglesia existe para proclamar y promover la extensión del Reino de Dios en todas las esferas de la vida y del pensamiento en el mundo habitado.

En este encuentro el movimiento ecuménico y el movimiento misionero se unen. Ninguno tiene razón sin el otro. Mackay tiene una definición del ecumenismo en que se ve esta unión de propósito:

"El ecumenismo es la ciencia de la Iglesia Universal, concébida como una comunidad misionera, en cuanto a su naturaleza, su misión, sus relaciones y su estrategia." (28)

Mackay contemplaba el contexto de la obra misionera, dentro de un esquema universal de "un cuadrilátero ecuménico" que abarca: el movimiento misionero histórico de ayer, de hoy y de mañana; las religiones no cristianas y las ideologías contrarias al cristianismo, las relaciones entre las iglesias que forman el cristianismo, y las fronteras emergentes de la cultura y del pensamiento a las cuales la Igleisa tiene que dirigirse. (29)

Mackay enfrento con todo realismo y visión la tarea misionera dentro de las realidades ecuménicas. Un pensador de menor valor y capacidad podría haberse quedado contento con unas dimensiones menores. Mackay siempre trazó el cuadro grande y completo. Y por eso el desafío de su pensamiento y teología queda para las generaciones de cristianos de los siglos venideros.

NOTAS SORE EL TEXTO

1. Hugh Thompson Kerr in *The Ecumencial Era in Curch and Society*, edited by Edward J. Jurji, 3.

2. Ibid, 4.

3. Juan A. Mackay. "Truth is a Banner", *Theology Today*, Vol. VI, No.. , July, 1949, 145.

4. Hugh Thompson Kerr, op. cit., 5-6.

5. Ibid, 4.

6. Luis Alberto Sánchez, "Juan Mackay y la Educación Peruana", *Leader,* Años XLVIII, 1973, No. 46,69

7. Paul H. Lehman, "Also Among the Prophets", *Theology Today*, Vo. LII No. 4, 1959, 345.

8. Véase Juan A. Mackay, *Christianity on the Frontier.* 8

9. Véase Juan A. Mackay, *Prefacio a la Teología Cristiana*, 26-27.

10. Ibid, 27.

11. Ibid, 86.

12. Ibid, 88.

13. Ibid, 99.

14. Ibid, 138. Cita Maritain Humanismo Integral.

15. Ibid. 187.

16. Véase Juan A. Mackay Heritage and Destiny, 12-13.

17. Véase Ibid, 14.

18. Véase Juan A. Mackay El orden de Dios y el Desorden del Hombre 207-209.

19. Juan A. Mackay "At the Frontier", Princeton Seminary Bulletin, v. 41:3, winter, 1948, 20.

20. Ibid, 21.

21. Véase Juan A. Mackay Christianity on the Frontier, 51-52.

22. Juan A. Mackay, "At the Frontier", Princeton Seminary Bulletin, v. 41:3, winter, 1948, 18. (*)

23. Ibid, 17, 20.

24. Véase Hugh Thomson Kerr, op. cit., 1-17.

25. Ibid, 8.

26. Juan A. Mackay, "A Theological Foreword to Ecumenical Gatherings," *Theology Today*, Vol, V. No. 2, July, 1948. 146.

27. Kerr, op cit., 12.

28. Ibid, 14.

29. Ibid, 15.

(*) "The only hope, or else despair lies in the choice of pyre or pyre to be redeemed from fire by fire... we only live, only suspire consumed by either fire or fire".

B. MACKAY: MISIONERO Y MISIÓLOGO

El misionero

Desde los primeros días del despertar espiritual de Mackay a los catorce años se puede trazar en su vida un compromiso profundo por compartir su fé con los amigos del liceo y de la universidad. Ese anhelo fue nutrido por una vida devocional diaria de lectura de la Biblia, los libros devocionales de Brainard, Rutherford y otros y períodos de oración personal.

Mackay no fue un cristiano solitario. Buscaba el calor e inspiración de la congregación bautista de Gilcomston en Aberdeen donde el ardor misionero fue estimulado por el grupo de estudios sobre la obra misionera y la predicación del Pastor Andrew Grant Gibbs. El ambiente de Escocia en las denominaciones no-conformistas como la bautista y la Iglesia Libre de Escocia fue evangélico en el sentido de alcanzar a las masas por medio del evangelismo personal y público.

Mackay se ofreció como misionero a la Iglesia Libre de Escocia en 1912, junto con su novia Jane Logan Wells. Ellos eran miembros del Movimiento Estudiantil de Voluntarios que fue una organización de jóvenes dedicados al lema: "La evangelización del mundo en esta generación". Cuando fue a España en 1915, buscó inmediatamente "un hogar espiritual" en Madrid con los Hermanos Libres (Plymouth Brethren) porque no había congregación presbiteriana ni bautista. Allí en una pequeña capilla de los Hermanos Libres, Mackay predicó su primer sermón en español.

Cuando en 1927 escribió una carta a los alumnos del Colegio Anglo-Peruano sobre los años en el Perú se expresó en esas palabras:

"La idea fundamental que he ido inculcando... es una que muchos de ustedes han escuchado a menudo de mis lábios... que la búsqueda del Reino de Dios y su justicia, preconizada por

Cristo en sus enseñanzas es la pasión que debe inspirar el corazón de otra persona verdadera. Cuando las personas renuncian a sus egoismos, dejándose guiar por el espíritu de amor que Cristo nos ha revelado en sus palabras y en sus hechos... la vida humana experimentará una transformación radical..." (1)

Este énfasis sobre "una transformación radical" continuaba siendo el punto céntrico de su predicación y de sus conferencias durante los años con la Asociación Cristiana de Jóvenes como evangelista continental. En un folleto cuyo título era *¿Existe relación entre la ACJ y la religión?* dijo lo siguiente:

"La Asociación Cristiana de Jóvenes atesora una experiencia religiosa que desea compartir con todos. Es la experiencia que viene al hombre cuando al encontrarse con Cristo, se rinde a El".(2)

En su librito *A los pies del Maestro* (1930) de meditaciones sobre "El Padre Nuestro" se ve otra vez su profunda comprensión de lo que significa esta "transformación radical" de la persona cuando se encuentra con el Cristo Vivo:

"...Habremos de ir cada cual a las sombras de Getsemaní. En nuestras manos se pondrá un cáliz que estará rebosando con las amargas consecuencias inmediatas a la decisión de ser leales al Capitán de nuestra vida..." (3)

En la introducción de *El sentido de la vida* (1931) Juan Manuel Villareal recuerda cómo un estudiante de su época conoció a este escocés "enamorado de Cristo":

"Su devoción por la figura del Galileo le contagió con esa capacidad de enseñar con el amor que José Enrique Rodó exigía como cualidad cardinal del verdadero maestro... Si algunas veces la voz se tornaba tajante como acero toledano para repudiar las maldades de los hombres, otras, y eran las más, tenían la serena dulzura del consejo. Y mientras las palabras aleteaban entre nosotros como halcones de altanero vuelo, los ojos azules del doctor Mackay nos calaban el alma, escudriñando nuestra intimidad más auténtica." (4)

Así dejaba Mackay, "el escocés enamorado de Cristo", un impacto inolvidable sobre una generación de estudiantes universitarios del continente entre los años 1926 a 1932.

Cuando Mackay habló en Jerusalén en 1928 como vocero de la comunidad protestante latinoamericana en la Segunda conferencia del Consejo Misionero Internacional, anunció dos principios para la evangelización:

1. Adquirir para sí el derecho de ser oído .

2. Eliminar en la presentación del mensaje toda ceremonia tradicional. (5)

Mackay se refería en particular al desafío de evangelización en América Latina con estas palabras:

"Se necesita una interpretación innovadora de la Cruz y del Cristo Crucificado para una evangelización fructífera en Sudamérica. Los sudamericanos han visto al Cristo Español y al Cristo de Renán. Ninguno ha ejercido impacto sobre la vida. Los sudamericanos exigen un Cristo como Personalidad Creadora, tal como es el Gran Maestro de Un Amor Transformador." (6)

Paul H. Lehman dijo de Mackay: "El es, ha sido y siempre será un misionero". (7) Pero Mackay fue misionero mayormente a la clase intelectual. Mackay surgió de la clase media y comprendió su mentalidad. El encarnaba el Evangelio en su vida y buscaba identificarse con ellos. Otro misionero escocés en el Perú de la época de Mackay, John Ritchie, no estaba de acuerdo con Mackay en cuanto a los métodos de la evangelización. Ritchie optó por identificarse con las masas y fundó la Iglesia Evangélica Peruana. Mackay escogió el método de evangelizar a la clase media y los intelectuales. Pero en el año de 1939 Mackay volvió a reconsiderar el método que usaba en el Perú al escribir lo siguiente: "ningún movimiento Cristiano puede tener éxito si no conmueve a las masas... Estoy convencido que mucho esfuerzo misionero y la obra cristiana en general ha errado por tratar de alcanzar exclusivamente a los líderes..." (8)

Pero Mackay no estaba de acuerdo con los métodos de evangelización de los ultra conversadores. Se cuenta de su consternación durante su rectoría en Princeton cuando algunos estudiantes fundamentalistas "invadieron" el plantel de la Universidad de Princeton con "bombas evangélicas" de tratados que dejaron caer frente a las puertas de los estudiantes que intentaron evangelizar. Mackay les habló con indignación: ¿"Por qué no procuraron hablar con ellos cara a cara del Evangelio? El evangelista tiene que ganar el derecho de ser escuchado."

Mackay marcó así la pauta para la obra misionera en cuanto al desafío evangelístico en un artículo en 1935 sobre la situación misionera.

"Los misioneros dejan su patria y su cultura para reproducir donde quiera que andan, la comunidad de fé a la cual pertenecen, no en un sentido denominacional o sectario, sino que procuran crear una nueva comunidad o una más cerca posible al modelo de Dios para la vida colectiva de personas hechas nuevas en Cristo... Es la formación de una comunidad cristiana autóctona que es la meta del llamado misionero... este compañerismo será, de testimonio... una comunidad que no vive para sí, sino para ser testigo de la Palabra de Dios en la persona de Jesucristo cuya función primordial será, como modelo humano, ser testigo de la Palabra de Dios en la persona de Jesucristo cuya función primordial será, como modelo humano, ser testigo del Evangelio de las Buenas Nuevas de Dios para el hombre". (9)

Mackay sigue este énfasis sobre la regeneración en un discurso sobre la eclesiología en 1943.

"La Iglesia tiene que cumplir una tarea triple: regenerar a las personas, facilitar una comunidad para ellas y arrojar luz sobre sus vidas.

"Primero, regenerar a las personas. Esta es la tarea regeneradora de la Iglesia. Esta consiste en hacer nueva la naturaleza de la humanidad por el poder de Dios de acuerdo con el patrón supremo de vida humana que es Jesucristo. La tarea de hacer

nuevas las almas, de crear nuevas personas en Cristo, es tarea principal de la Iglesia, no la creación de las civilizaciones. El hecho de reproducir la semejanza de Cristo es la suprema meta de su logro espiritual. Así la Iglesia es la cuna y no el arquitecto de la civilización... la Iglesia existe principalmente para las almas".
(10)

El Misiólogo

Mackay nunca se refirió a sí mismo como "misiólogo", pero en verdad lo era. Se ve en muchas de sus obras a un investigador, indagando el por qué de la misión y cómo llevar a cabo la misión de Cristo. Si la definición de "misiólogo" es "el que traza una teología de misión y planifica una estrategia para llevar a cabo la misma", Mackay fue un misiólogo destacado del Siglo XX.

La misiología nace de la eclesiología

La misiología de Mackay se basa en su eclesiología - de un concepto de la iglesia como comunidad misionera mundial. En *Ecumenics: Science of the Church Universal* (El Ecumenismo: Ciencia de la Iglesia Universal) el escribe lo siguiente:

"Ser comunidad, aun la mejor, nunca puede ser un fin en sí; sea una *koinonia* neotestamentaria, sea aquella mística que los ortodoxos orientales han glorificado, o en la forma de unidad ecuménica buscada entre las iglesias. La Iglesia, concebida como una comunidad mundial de Cristo, tiene que anhelar una meta en la historia más allá de ser un compañerismo santo. La Iglesia no puede existir como una colectividad que conserva meramente las verdades 'venerables' o los principios morales exaltados, como decía Karl Barth. Por su lealtad a la Biblia y a las tradiciones y doctrinas eclesiales, la Comunidad de Cristo tiene que evitar el peligro de glorificar a estas como tesoros literarios que solamente contienen las fuentes de la ortodoxia y ofrecer temas para reuniones sobre Fé y Constitución. La Iglesia para ser iglesia de veras tiene que ser misionera por convicción y compromiso y ha de afirmar esta identidad con claridad en la política y programa que ella sigue..." (11)

Mackay continúa con este tema de la Iglesia Universal como una comunidad misionera mundial diciendo lo siguiente:

"Los líderes y los miembros de la Iglesia son llamados por Cristo a seguirle sobre el camino a la Ciudad que tiene fundamento... tienen que ser peregrinos, cruzados, pioneros sobre el camino del Reino... La misión de la Iglesia esencialmente es ser una comunidad misionera para así vivir en las fronteras de la vida en todas las sociedades y en todas las épocas de la historia. La meta de la Iglesia es llevar a cabo el propósito de Dios en Cristo para la humanidad. Los Cristianos son llamados para hacer conocer el Evangelio a todas las naciones y para vivir el Evangelio en cada esfera y en cada aspecto de la vida terrenal.

"Dios ha deseado que Cristo sea conocido, amado y obedecido por el mundo entero. Es su designio que todos lleguen a ser hijos de Dios y que vivan como ciudadanos dignos en su Reino. Es su voluntad que la barrera de separación sea derribada, que el exclusivismo indigno se acabe y que la humanidad sea renovada en Cristo". (12)

Para cumplir esta tarea, Mackay dice que la Iglesia como una creación especial de Dios tiene que ser una comunidad que está al servicio de Dios para cumplir su Plan en la historia. Mackay basa su eclesiología en las imágenes bíblicas de la Iglesia: el Nuevo Israel, el rebaño de Dios, el edificio que Dios está construyendo, la esposa a quien Dios ama entrañablemente y el Cuerpo de Cristo que simboliza la actitud funcional de la Iglesia dentro de la historia.

La misiología: ¡una comunidad en marcha!

Mackay procede en el mismo libro a describir esta comunidad al servicio de Dios en más detalle:

"Como comunidad es también un compañerismo del Camino porque solamente como comunidad móvil y dinámica - un compañerismo en marcha a todas las tierras y a todas las culturas - puede la Iglesia cumplir su destino y lograr la misión que Dios la ha encomendado." (13)

Esta misma comunidad se nutre sobre la marcha ardua por medio de la adoración. Por eso "la adoración es el altar de donde procede el ascua ardiente que inflama los labios con la pasión del amor para proclamar y vivir el Evangelio de Cristo..." (14)

La Iglesia Cristiana como comunidad misionera también tiene que cumplir una misión profética en su peregrinación. "La vitalidad espiritual de la Iglesia de Cristo, no puede ser comprendida solamente por la cantidad de personas que llenan los templos para la adoración... La Iglesia tiene que estar dispuesta a escuchar lo que Dios está diciéndole como ciudadana de una nación en particular. En una palabra, la Iglesia ha de ser profética. Ella tiene que estar dispuesta a responder a la Palabra de Dios, sensible a la voz de Dios y obediente para cumplir la voluntad de Dios. Es decir, exponer la vida entera del hombre a la luz de Dios.

Esta comunidad caminante busca cumplir dentro de su misión una obra redentora. "Cuando la Iglesia se identifica con Dios como su instrumento, como su mayordomo, es decir un administrador de su amor redentor, entonces la adoración y la profecía llegan a su expresión culminante. Es entonces cuando la Iglesia verdaderamente glorifica a Dios, descubre su esplendor y cumple su propósito para la redención del mundo. Cuando la Iglesia declara abiertamente y sin reserva que es "el Cuerpo de Cristo", obediente a Aquél que es la Cabeza y a la vez su vida, es que la Iglesia cumple su función redentora como "co-obrero" con Dios". (15)

Una declaración predilecta de Mackay fue una frase usada en la Conferencia Ecuménica de Oxford de 1937: ¡"Que la Iglesia sea la Iglesia"!

La totalidad de la declaración reza asi: "Que la Iglesia sea de veras la Iglesia; que la Iglesia conozca a su Señor; que la Iglesia descubra la voluntad de El; que la Iglesia se prepare para su servicio; y que la Iglesia se entrege sin reservas a la tarea espiritual en un espíritu de unidad. Dios y la historia se encargará de lo demás". (16)

La misiología: un diálogo entre la fe y la cultura

La misiología de Mackay empezó a formularse temprano en su vida por medio de su comprensión sensible de la relación entre la cultura y la fé; es decir, un diálogo abierto y una conversación con amor con la cultura. Mackay se preocupaba por entender las preguntas que la cultura hace a la religión. En vez de empezar con la declaración de las respuestas que la fé ofrece a la sociedad, el misionero debe esperar y escuchar las interrogantes de la sociedad sobre la religión que proviene de la cultura. Por eso, la misiología de Mackay se basaba en un diálogo constante mayormente con las élites de la sociedad.

Las ideas de Mackay fueron solamente insinuaciones de lo que Juan Luis Segundo ha presentado como el "círculo hermanéutico" de nuestros tiempos. Mackay comulgó más con el método de "correlación" de Tillich de una tradición liberal Europea donde las preguntas que vienen de la cultura son las representadas por figuras destacadas de las élites. Segundo contempla un mundo ideológico y una realidad social en donde el análisis estructural es el que provee las preguntas al texto bíblico y a la revelación. Las preguntas han de surgir de los sectores pobres de la sociedad, y no solamente de las élites. (17)

Mackay aprendió de Miguel de Unamuno la importancia de identificar los rasgos culturales esenciales de una cultura antes de proponer modificaciones en su forma de pensar y actuar. Una evidencia brillante de este método es el capítulo "El Alma Ibérica" en su obra maestra *El otro Cristo español*. (18) Por ser sensible a la cultura iberoamericana, Mackay logró penetrar a fondo con el pensamiento cristiano evangélico de aquella cultura. Mackay habló de este método misionero como "el estilo encarnacional". El estaba dispuesto a acercarse con espíritu abierto para "convivir" con las realidades hispanoamericas.

La misiología: comprometida y participatoria

La misión de la Iglesia es una obra de acompañamiento y de participación existencial sobre el Camino de la vida. La Iglesia es "un compañerismo del Camino". En *Prefacio a la teología cristiana* (1941), Mackay utiliza dos figuras literarias: una de estas figuras, "el camino", es netamente bíblica; la otra, "el balcón", es cultural en su origen. El presenta su teología de misión con estos dos temas: El Camino moderno a Emmaús" y "El Balcón de Contemplación".

El Camino moderno a Emmaús

"Aquel camino y aquellos caminantes constituyen una parábola de lo que pasa en el pensamiento contemporáneo; el encuentro con el Otro, a la luz del atardecer. Es a la vez una parábola del remedio que necesita el mundo cristiano para revivificarse...(19)

"...El camino a Emmaús es el camino de nuestros tiempos... Nosotros, también, como aquellos discípulos habíamos soñado con una nueva edad, al igual que ellos hemos saboreado la amargura de la desilusión. La cristiandad ha sufrido una desintegración. Millones de nuestros compañeros de camino se han separado de Cristo, de la civilización cristiana y de las esperanzas cristianas. Una época ha llegado a su fin. Nuestro camino es el mismo del Camino a Emmaús.

"Un estado de tranquila desesperación ha llegado a dominar nuestro espíritu. Y por eso la teología hoy tiene una tarea, la de devolver el sentido a la vida, la de restaurar los cimientos sobre los cuales se pueden construir toda vida verdadera y pensamientos verdaderos". (20)

"La teología, los teólogos y los seminarios teológicos tienen que ser por lo tanto misioneros. No tiene hoy la Iglesia Cristiana una tarea misionera más importante que la teológica. La mente tiene que estar iluminada y sus corazones encendidos. De otra manera, nos enfrentaremos con una parálisis total del esfuerzo cristiano. Pero el teólogo que logra producir una mente iluminada y un corazón ardiente, es aquél que ha recorrido el mismo Camino de Emmaús y allí, a la luz del crepúsculo, se ha encontrado con el Otro. En aquella Persona, el pensamiento y la acción cristiana serán una sola cosa. Obrará como hombre de pensamiento y pensará como hombre de acción." (21)

Dos perspectivas: del balcón y del camino

Para Mackay, *el Balcón* - esa plataforma de madera o piedra que sobresale de la fachada y con ventanas altas en las casas españolas y latinoamericanas es el lugar desde donde la familia puede contemplar todo lo que pasa abajo en la calle. También puede ser el lugar de encuentro para ver la puesta del sol o para extasiarse ante las estrellas en lo alto... Por lo tanto es símbolo del espectador perfecto, para quien la vida y el universo son objetos permanentes de estudio y contemplación... Un hombre puede vivir una existencia permanente *balconizada,* aún cuando tenga físicamente la ubicuidad de un trotamundos. *El Balcón* significa una inmovilidad del alma que puede coexistir perfectamente con un cuerpo móvil y peripatético. Mackay habla de esta perspectiva como una tentación constante para el pensador y misionero cristiano, la de quedarse arriba en la contemplación y análisis de los males del mundo abajo. (22)

Por el contratrio, *el Camino,* su bullicio, congestión y peligro, presentan al hombre otra perspectiva. El Camino es donde la vida se vive intensamente, donde el pensamiento nace del conflicto y el serio interés, donde se presentan opciones y se toman decisiones. El camino es el lugar de la acción, de la cruzada y de la vida real... En el camino se busca una meta y se corren peligros para alcanzar la meta.

Mackay nos advierte que no se interpreta el Camino en términos puramente materiales. Muchas personas que transitan en *el Camino*, jamás han viajado muy lejos de su escritorio o de su pulpito, su clínica del hospital o de su banco de carpintería, pero sí han atravesado lejos en *el Camino* de su vida. Para Mackay, *el Camino*, como *el Balcón*, era un estado de ánimo. (23)

En estas dos figuras literarias, Mackay marcaba la pauta para una misiología comprometida y participatoria. La Iglesia es un compañerismo de los que viven sobre *el Camino* y no una compañía de observadores que pasan la vida lamentando los tristes sucesos de la vida desde la seguridad *del Balcón*.

El Cristiano no puede ser solamente un ser contemplativo envuelto en su rapto. La obra de Dios se hace solamente sobre *el Camino*, junto con el Cristo Resucitado. El cristiano como peregrino está buscando la perla de gran precio. Por eso Mackay afirma:

"Un hombre existe cuando para él lo eterno se convierte en un principio activo dentro de lo temporal. Cuando lo eterno produce en la vida de un hombre un impacto tal que, en su finitud, y en la situación concreta en que se halla. éste queda completamente dominado por dicho impacto en todas las fases de su ser, entonces ese hombre existe, entonces realmente pone pie en *el Camino*." (24)

La misiología: confesional y a la vez ecuménica

La misiología de Mackay obliga a los que andan por el Camino del compromiso y de la participación a que se mantengan dentro de su tradición confesional y a la vez dentro del movimiento ecuménico. Por tradición confesional él se refería a las tradiciones Reformadas, Luterana, Pentecostal, Anglicana, Bautista, Congregacional, Ortodoxa y Católica Romana. Esta doble postura de lealtad a su propia tradición cristiana y también a la visión ecuménica requiere del cristiano una fe profunda y amplia en todas sus dimensiones.

Mackay escribe de su propia experiencia en su libro *El Sentido Presbiteriano de la vida* (1960) lo siguiente:

"Sin embargo, somos testigos del surgimiento de una paradoja. Al mismo tiempo que los Presbiterianos y otros dirigentes cristianos se han consagrado a la promoción del movimiento ecuménico, han consagrado a la promoción del movimiento a la vez el desarrollo de la solidaridad, a escala mundial, de la Conferencia a las que pertenecen.

"Al proceder así, ¿es que son hipócritas, ilógicos e irresponsables? ¡De ninguna manera! Ambos intereses no son incompatibles. La verdad es ésta. No existe ninguna perspectiva para un ecumenismo vago e incoloro y con un común denominador ambiguo. No podemos pertenecer a la Iglesia Cristiana de un modo general, como tampoco, pertenecemos a la raza humana en general.

"Un antiguo proverbio español dice: Un pajaro puede volar hasta el fin de la tierra, pero sólo forma familia en su própio nido. El fenómeno que tiene lugar en el nido, allá en lo escabroso del risco, o bajo algún árbol frondoso, quizás pudiera parecernos lento o monótono o tal vez completamente ajeno a todo lo espectacular o dramático. Sin embargo, el proceso del nacimiento y del crecimiento no se debe apresurar, sino más bien obedece a un ritmo inexorable.

"Por otra parte, existe siempre el peligro de que lo local se convierta en algo estrecho y exclusivista. Muy facilmente una entidad local puede encerrarse en sí misma y aislarse del mundo externo y consecuentemente mostrar hostilidad para con toda influencia que pudiera amenazar la pureza de vida interna conservada con tanta satisfacción u orgullo.

"Permítaseme ilustrar este fenómeno... haciendo uso de una parábola. En una abrupta región de las montañas de la antigua Castilla existe un pueblo formado por gente de baja estatura. Los hombres y las mujeres de ese pueblo han sufrido de raquitismo y de otros padecimientos que impiden el crecimiento humano. Algunos estudiosos ... afirman que ese fenómeno observado en el crecimiento de esta gente, se debe a la falta de sol, el cual no alcanza a penetrar hasta lo escondido de sus viviendas. Otros creen que más bien se debe a que beben agua estancada.

"Sin embargo, el escritor hispano, Unamuno, quien me refirió esta historia y quien visitó personalmente esa región, sostiene un punto de vista diferente. A juicio de Unamuno, la baja estatura de esas gentes se debió... al agua excesivamente pura de la montaña. Aquellos desdichados pobladores de esa región bebían aguas que no tenían las sales naturales de la tierra, especialmente el yodo, ese ingrediente indispensable en el agua potable. Unamuno hizo de esta historia la siguiente parábola: La persona que procura vivir sólo por categorias puras, se convierte en un enano; desgraciadamente ésta ha sido la actividad de muchos grupos cristianos entre las denominaciones y sectas de la Iglesia Universal".

"Debemos admitir que las grandes confesiones o familias de iglesias tienen la llave para el futuro del movimiento ecuménico.

...Uno de los frutos de un movimiento genuinamente confesional abierto a la dirección del Espíritu Santo, manifiesta la forma como este Espíritu ilumina las Escrituras y que es sensible a las necesidades contemporáneas y a la vez, preocupado en promover la unidad y misión de la Iglesia... Uno de estos frutos ha de ser el surgimiento de una teología ecuménica para hoy."

"La declaración teológica que la Iglesia Universal debería hacer suya no debe ser un sincretismo doctrinal o una mezcla teológicamente diluida. Es decir, que esa confesión no debe tener en su centro un denominador común, pálido y sin poder alguno. La Iglesia Cristiana jamás deberá apoyar una declaración de fe incolora, descarnada e invertebrada.

"Mi alma presbiteriana ha amado y trabajado para la Iglesia Universal de mi Señor y Salvador Jesucristo... debido al impulso supremo del "sentido ecuménico... y la deuda inefable que tengo para con otras iglesias cristianas." (25)

Esta posición misiológica de Mackay a través de los años le ganó el respeto y la confianza dentro de las familias confesionales. En particular, fue factor indispensable para el éxito que tuvo como presidente del Consejo Internacional Misionero y otras comisiones ecuménicas sobre estrategia misionera. Mackay respetaba de veras las herencias espirituales de las diferentes confesiones del cristianismo y por eso pudo ser líder entre ellas para buscar un ecumenismo auténico.

NOTAS

1. Carta a los ex-alumnos del Colegio Anglo-Peruano, publicado en "*The Leader*", Nov-Dec., 1927

2. ¿Existe relación entre la Asociación Cristiana de Jóvenes y la Religión? publicación de la ACJ, 1927, 20.

3. "A los Pies del Maestro", publicación de la ACJ, 1930, 9.

4. Juan Manuel Villareal en la introducción de *El sentido de la vida y otros ensayos*, en 1931, 2. Cuarta edición, 1988.

5. Cf. discurso por Juan A. Mackay en la Conferencia Mundial de Jerusalén, 1928. Vol, VII, 90-94

6. Ibid, 93.

7. Paul H. Lehman, "Also among the Prophets", *Teology Today*, LII, No. 1, 1959, 346.

8. Juan A. Mackay, "How my mind has changed in this decade", *The Christian Century*, July, 1939, 874.

9. "The Crucial Issue in Latin America" en *Missionary Review of the world,* 1935, 527-528.

10. "A Righteous Faith", NCC, New York, 1943, 38

11. Véase. *Ecumenics: Science of the Church Universal*, 50-52.

12. Ibid, 52.

13. Ibid, 92.

14. Ibid, 116.

15. Ibid, 162.

16. Juan A. Mackay, "How my mind has changed in this decade", The Christian Century, 875.

17. Véase los escritos de Juan Luis Segundo o *Masas y Minorias,* en la Dialéctica Divina de la Liberación, Buenos Aires, La Aurora, 1972., 91-110. También, The Liberation of Theology, Mary knoll, N.Y. Orbis Books, 1976, 7-38.

18. Véase Juan A, Mackay, *El otro Cristo Español*, capítulo primero, 31-49

19. *Prefacio a la teología cristiana*, 9.

20. Ibid, 10-11.

21. Ibid, 33-34.

22. Véase Ibid, 37.

23. Véase Ibid, 38.

24. Ibid, 57.

25. Véase Juan A Mackay, *El Sentido Presbiteriano de la vida*, 303-306.

C. MACKAY: MILITANTE POR LA JUSTICIA SOCIAL.

"Su voz asumió el filo de una espada toledana al denunciar la maldad..." (1)

En una conversación en los años 1960 entre el autor y el doctor Mackay, hablamos de la reforma agraria en América Latina. En relación al tema, Mackay me contó acerca de una confrontación que tuvo durante su presidencia del Seminario de Princeton con un miembro laico prominente de la junta directiva de dicha institución. Resultó que Mackay había escrito o dicho algo a favor de la reforma agraria en cierto país en América Latina. Este señor le advirtió que debía tomar una posición más moderada en cuanto a la reforma agraria.

Mackay reaccióno con algo de indignación profética con estas palabras:

"No me de una lección a mi sobre la reforma agraria. Soy escocés de las montañas del norte de Escocia. Sé bién la historia triste de los humildes agricultores escoceses. Algunos de ellos eran mis antepasados. Sus terrenos les fueron quitados injustamente a la fuerza por los poderosos para aumentar sus propias y grandes estancias de ovejas y sus reservas para la caza".

Esta respuesta revela algo de los sentimientos profundos de Mackay sobre la justicia social. A pesar de que era de una familia de clase media y acomodada, él pudo identificarse con los oprimidos y marginalizados de la sociedad. Como fiel hijo espiritual de Calvino y Knox, Mackay nunca vaciló a través de sesenta años de ministerio activo en cuanto a su compromiso social con los débiles y desamparados. Parece que sus actitudes hacia el cambio social y las cuestiones de orden social nacieron tanto de su herencia egalitaria escocesa y de su teología reformada.

El doctor Paul H. Lehman escribió de Mackay lo siguiente:

"Mackay canalizó su celo evangélico de proclamar el Evangelio por el mundo por medio de una profunda pasión por la justicia social y lo hizo sin perder la perspectiva evangélica." (2)

Mackay tuvo la apariencia de ser un caballero delicado y cortés. No tenía el perfil tradicional del profeta. Pero detrás de esta semblanza formal se escondía un militante, hombre lleno de convicción apostólica para luchar contra todas las fuerzas deshumanizantes que degradan al ser humano. En esta firmeza de carácter se reflejó la idiosincracia de su raza llamada *dourness*. Esta palabra se define literalmente como "testarudo", pero *dourness* es algo más que obstinación y terquedad. *Dourness* también puede nacer en el escocés de ciertas convicciones profundas del alma. Pero más allá de ser una característica racial de *dourness* en el escocés, esta faceta del carácter de Mackay se basó en una teología de compromiso y de participación, y en la capacidad de Mackay de solidarizarse con los que estaban sufriendo. La fuerza de convicción se reveló más en Mackay en su lucha por la justicia social que en otros aspectos de su personalidad. Las palabras elogiosas acerca de Juan Mackay escritas por un amigo escocés decían, "Mackay tenía una voz como el filo de una espada toledana" y se encarnaban cuando Mackay lanzaba el desafío a los cuarteles de injusticia en la sociedad.

Mackay perteneció literalmente a docenas de comités y agrupaciones que militaban a favor de la justicia social dentro y fuera de la iglesia. Más de una vez Mackay fue criticado a raíz de las declaraciones y acciones de algunos de estos comités, de los cuales era miembro. Mackay no estaba siempre de acuerdo con ciertas posiciones tomadas por los comités, pero no se separó de ellos por razones que él consideraba fueron de derecho de opinión personal de otros miembros. Uno de los comités mas controvertidos fue el llamado "Los Amigos de la Republica Española" en los años 1930.

Mackay fue participante activo en varios movimientos que fomentaban la reconciliación entre las naciones y dentro de la sociedad. En particular se preocupó por la promoción de la paz mundial. Era uno de los miembros fundadores del Compañerismo Presbiteriano Pro-Paz en los años 1940. Siempre militaba en los comités ecuménicos y las causas populares a favor de la democracia política y los derechos civiles y humanos. Siempre apoyaba activamente los esfuerzos para mantener la separación entre la Iglesia y el Estado y la libertad de culto.

Promotor de la Reconciliación

La vida activa de Mackay alcanzó a cubrir casi todo el Siglo XX. De modo que él experimentó durante su larga vida las tensiones internacionales de las dos Guerras Mundiales, la Guerra de "El Chaco" en Bolivia y Paraguay, los conflictos territoriales entre Chile y Perú, los años de lucha armada en España, la China y Colombia, las guerras en Corea y Vietnam, la Revolución Cubana y la insurreción sandinista en Nicaragua. Dada su participación en organismos mundiales de la iglesia como el Consejo Mundial de Iglesias, el Consejo Misionero Internacional y la Alianza Mundial de Iglesias Reformadas, Mackay no pudo evitar las controversias entre naciones que afectaban profundamente las relaciones entre las iglesias y la obra de las sociedades misioneras.

Fue en la Conferencia sobre Iglesia, Comunidad y Estado en Oxford en 1937 que Mackay llegó a definir claramente una posición cristiana frente a los desafíos y los enigmas de la práctica de la fe cristiana en la escena internacional. Fue presidente de la comisión que presentó recomendaciones a la plenaria. (3)

Mackay empezó a enfrentar los problemas internacionales durante su trabajo con la Asociación Cristiana de Jóvenes entre los años 1926 a 1932. Fue el período del conflicto entre el Perú y Chile sobre las provincias de Tacna y Arica. Mackay escribió en 1928 sobre "El Problema Pacífico de Sudamérica" que el litígio sobre Tacna y Arica fue "el Alsace Lorraine del Nuevo Mundo". Dijo que como Alsace Lorraine provocó la guerra entre Alemania y Francia, así la lucha relacionada con Tacna y Arica era peligrosa para la paz entre Chile y de Perú. Mackay propuso a los estudiantes de Chile y del Perú que apoyaran un plebiscito para resolver la enemistad "que ha obstaculizado a sus padres y abuelos para lograr resolver ese problema territorial que debe ser enterrado para siempre." (4) Mackay se afilió con "Los Amigos de la República Española" (1938-40) por su compromiso profundo con los ideales de la República y por amistad con algunos de sus líderes que eran amigos de los días de sus estudios en Madrid en el año 1915.

El reconocimiento de la China Popular.

Durante la Segunda Guerra Mundial, Mackay, ahora ciudadano norteamericano, tuvo que tomar una posición en relación a la guerra. A pesar de su apoyo a la necesidad trágica del conflicto para detener al nazismo imperialista, Mackay escribió una serie de artículos en el bien conocido diario *The New York Times* durante la guerra (véase pagina 131) sobre la política internacional desde una perspectiva cristiana y abogó a favor de la misericordia para los enemigos en los tratados de paz. (5)

Cuando los comunistas triunfaron en China en 1949, Mackay llamó a los Estados Unidos de Norte América a reconocer al nuevo gobierno de Peking. Lo hizo a pesar de las amenazas del Comité de Actividades Anti-comunistas del congreso norteamericano.

Más tarde en 1953 en su declaración "Una Carta a los Presbiterianos", que fue el pronunciamiento más importante de su vida pública, escribió diciendo:

"El Comunismo como solución al problema humano está ordenado a fracasar. Ningún régimen político puede prevalecer cuando elimina a propósito a Dios de su designio... El Comunismo esclaviza en el nombre de la libertad y no sabe que el mal no se erradica de la vida humana sencillamente cambiando las estructuras sociales. El hombre además, tiene anhelos espirituales que el Comunismo, no puede satisfacer... Pero nosotros debemos preocuparnos por el comunismo, las naciones comunistas y los pueblos comunistas. El odiar un sistema no nos da licencia para odiar a los individuos y a las naciones enteras. La historia y la experiencia nos eseñan que las personas y los pueblos cambian. Que debemos estar siempre alertas a las evidencias de cambio en el mundo comunista, a los efectos del desencanto y a la presencia del hambre por Dios. A tal desilusión y anhelo solamente se puede responder con una actitud sensible y dispuesta a escuchar y a platicar... Que estemos dispuestos a reunirnos en la mesa de conferencia con los jefes de los países comunistas. No debemos guardar ninguna reserva en utilizar el método pacífico a fin de resolver los problemas con los enemigos de nuestra nación. Que no tengamos una actitud cínica, como prevalece en ciertos círculos oficiales del gobierno al considerar como esperanza perdida, el buscar soluciones negociadas de conflictos que separan a la humanidad..." (6)

El doctor Mackay recibió una carta de un pastor alemán sobre el significado de su declaración en noviembre 20 de 1954: "Si nuestra Iglesia en Alemania en los primeros días de Adolfo Hitler se hubiera percatado de una manera tan clara y fundamental como usted ha hecho hoy en América, nosotros podriamos haber evitado tan indecible sufrimiento y culpa...". (7)

También recibió fuerte crítica a través de muchos años por su posición persistente en su idea de que Los Estados Unidos debía establecer relaciones diplomáticas con la China Popular. En 1966 dijo con motívo de la dedicación de un memorial al pastor James Reeb, fallecido en la lucha por la justicia racial: "Yo también he experimentado el sufrimiento cuando uno toma una postura impopular por cierta causa... Durante dieciseis años yo he tenido que aguantar ser llamado "comunista" o "pro-comunista". ¿Por qué? Porque después de regresar de Asia en 1949, abogué publicamente, y sigo abogando igual, que esta nación; para promover la paz mundial y las relaciones internacionales, tiene que ceder a la China Comunista un lugar en la familia de las naciones..." (8), (9)

Mackay siempre abogaba a favor del respeto por la humanidad en todas las relaciones. Mackay relató al autor en 1966 acerca de una conversación con el eminente John Foster Dulles, secretario del Estado del Presidente Eisenhower, y anciano gobernante de la Iglesia Presbiteriana. Y me dijo lo siguiente:

"Yo me reunía en Washington, D.C., con un grupo de amigos que había conocido en el movimiento ecuménico y que vivian allí también ya jubilados. John Foster Dulles estaba en el grupo. Yo le había conocido por primera vez en la Conferencia Ecuménica de Oxford en 1937. Un día pregunté a Dulles acerca del procedimiento que se usaba para las reuniones de desarme entre los rusos y los americanos en Ginebra después de la Segunda Guerra Mundial. Dulles me contó cómo los rusos entraban todos los días en el salón de negociaciones por una puerta y se sentaban en la mesa. Los americanos entraban por otra puerta en frente para sentarse al otro lado de la mesa.

"Yo pregunté a Dulles si se estrecharon las manos antes y después de las reuniones. Dulles me respondió que nunca se estrecharon las manos. Yo me enojé con Dulles y le dije: 'Foster, debes estar avergonzado. Un cristiano siempre tiene que tratar a otros seres humanos con las cortesias mínimas. ¡Nunca es permitido al cristiano ser menos que humano'!"

Para Mackay, todos los seres humanos, a pesar de su posición política o religiosa, deben ser respetados en su dignidad porque son criaturas de un mismo Dios.

La Revolución Cubana

En el año 1959 cuando triunfó la Revolución Cubana Mackay comprendió bién las causas de la rebelión de las masas cubanas contra la dictadura. Comparó esta revolución con la Revolución Méxicana de 1910 en cuanto al cambio profundo que la revolución ocasionó en el pueblo cubano. Mackay afirmó que las causas de la revolución eran pan, tierra, salud y educación, cosas que las dictaduras habían negado al pueblo. El habló con mucha indignación del trato brusco que Fidel Castro recibió en Washington de las autoridades americanas durante su primera y única visita como jefe de Estado. El comandante Castro "no fué recibido en el Departamento de Estado, sino en su cuarto en el hotel". Mackay dijo "que este hecho era imperdonable al sentido hispano del honor..." (10)

Las relaciones interamericanas

Como asesor de la Comisión de Asuntos Interamericanos de la Iglesia Presbiteriana Unida (1966 a 69) Mackay apoyó enérgicamente el reconocimiento diplomático del gobierno de Fidel Castro y la devolución a los cubanos de la base naval de Guantánamo situada en territorio cubano. (11)

Mackay tuvo interés particular por Cuba porque por muchos años el Seminario de Princeton ofreció becas para estudios posgraduados a pastores presbiterianos cubanos. Hasta el año 1966 la Iglesia Presbiteriana de Cuba fué parte integral de Sínodo de New Jersey de la Iglesia Presbiteriana Unida de los Estados Unidos. En aquel año se formó la Iglesia Reformada Presbiteriana en Cuba como una iglesia autónoma. Mackay estaba bién informado sobre la situación en Cuba durante los años anteriormente a la Revolución Cubana. No obstante, Mackay recibió mucha crítica de pastores cubanos que llegaron a los Estados Unidos como exiliados. Ellos pensaban que Mackay se había vendido a los comunistas. (12) No cabe duda de que Mackay no fue amigo del comunismo, pero tampoco aceptó la exclusión de Cuba de la familia de naciones latinoamericanas ni el bloqeo económico de Cuba por los Estados Unidos.

Una contribución singular que hizo Mackay como asesor de la Comisión de Asuntos Interamericanos de la Iglesia Presbiteriana Unida fue el enfoque teológico del documento "Espejismos y Realidad en las Relaciones Interamericanas". En este documento histórico de la Iglesia Presbiteriana y el primer estudio a fondo sobre relaciones interamericanas por una denominación en el hemisferio occidental, se habló de la actitud mesiánica de los Estados Unidos hacia América Latina. Mackay fue el teólogo de la Comisión que propuso los conceptos claves del prólogo del documento y que dice:

"Estamos conscientes de la aparición de un mesianismo revitalizado y arrogante que ensombrece el horizonte interamericano hoy, una hegemonía hemisférica que asume que vamos a hacer del *sistema Americano*, virtualmente, un absoluto de polo a polo.... El Mesianismo y el poder de los Estados Unidos contribuyen a la perpetuación de las estructuras injustas en los países de la América Latina..." (13).

La Guerra en Vietnam

Mackay tampoco pudo callarse durante la Guerra de Vietnam. Muy temprano (1964) en el conflicto en el Sureste de Asia, él firmó, junto con trece otros líderes de las iglesias y periodistas cristianos, una carta al Presidente Lyndon B. Johnson denunciado enérgicamente "la guerra silenciosa" que la CIA estaba llevando a cabo en Vietnam. Los lineamientos de la declaración fueron de carácter profético; eventualmente se fueron realizando durante los doce largos años de esa guerra:

"...Si se siguen estos pasos, no hay duda en nuestro pensar que millones de jóvenes americanos se involucrarán en las vastas regiones de Asia, a ocho mil millas de distancia y la opinión pública nos echará la culpa de ser agresores imperdonables..." (14)

La lucha contra dictaduras y apoyo a la democracia política.

Durante la larga dictadura de Leguía en el Perú que empezó en 1919 Mackay como ciudadano inglés tenía que apoyar a los movimientos libertarios de los peruanos con cautela. En una ocasión, por su amistad y el amparo que proporcionó en el mismo plan del Colegio Anglo Peruano a Victor Raul Haya de la Torre, Mackay podría haber sido echado del país. Mackay nunca negó su apoyo a las reformas democráticas de los partidos izquierdistas, pero siempre consideró el uso que los partidos hicieron de las ideas religiosas en sus pronunciamientos. Mackay se dió cuenta de los peligros de la derecha y de la izquierda, en cuanto a sus posiciones declaradas. El escribió en 1939 lo siguiente:

"Muchas personas de la derecha han utilizado un credo como un fin en sí mismo, en vez de utilizarlo como un instrumento para conocer a Dios y hacer su Voluntad. Ellos utilizan un credo como el que maneja un telescopio, desarmándolo y examinando los componentes del instrumento, en lugar de aprovechar la posibilidad de contemplar las galaxias por medio del telescopio... Por otro lado muchas personas de la izquierda juegan con ideas religiosas y son románticos y sentimentales con estas ideas... sin comprometerse a las realidades divinas con el abandono apasionante que se encuentra encerrado en estas ideas ... En el caso anterior, la fé se divorcia de la ética; en el caso posterior, la fé se separa de la adoración. En ningún caso es el pensamiento existencial... como la Forma de Gobierno de la Iglesia Presbiteriana dice: 'La verdad ha de llevarnos a la piedad y aumentar la santidad...' La gente tiene que encarnar sus ideas..." (15)

Cuando la causa republicana triunfó en España en 1931 Mackay presentó su apoyo a ese evento casi sin reserva. En 1938 Mackay se hizo miembro del comité internacional llamado "Los amigos de España". Esta afiliación le causó muchos problemas durante los años 1949 y 1950, en particular con el Cómite de Actividades Anti-comunistas del Congreso. Sucedió que un sector del movimieno republicano español llegó a ser dominado por los comunistas. Durante la larga y sangrienta guerra civil (1936 a 39), las fuerzas leales recibieron armas y municiones de los soviéticos. (16) Pero es imposible afirmar que Mackay contemporizó o fue "suave con el Comunismo" como filosofía política. Uno se da cuenta de eso al leer sus discursos a través de los años de 1920 a 1970. En uno de los discursos más importantes sobre este tema Mackay se refirió a los comunistas como "los que proponen hacerse dioses y robar a Dios su soberanía". Este discurso fué pronunciado en Sao Paulo, Brasil en 1959 en la Alianza Mundial de Iglesias Reformadas. Dijo Mackay en aquella ocasión estas palabras:

"Ninguno de los tres grandes rivales del cristianismo... la ideología marxista, la pretensión Mariana, ni la nación deificada, ni ningún otro puede ser permitido robar a Cristo su Dominio sobre la vida de las personas y sobre la Iglesia". (17)

Cuando el profesor Josef L. Hromadka, exiliado de Checoslovaquia y profesor del Seminario de Princeton, escribió su libro *Doom and Resurrection* en 1942, Mackay le prestó su completo apoyo a pesar de que el libro fué dedicado a Henry A. Wallace, figura controvertida de aquel tiempo. Mackay escribió en la presentación del libro de Hromadka lo siguiente:

"El autor de este libro es uno de los regalos que la tragedia europea ha traido a los Estados Unidos. Cuando los ejércitos de Hitler invadieron a Checoslovaquia, el doctor Hromadka fue obligado a salir de su cátedra de teología en la Universidad de Praga y a huir de su país natal. Y por la postura firme de los cristianos de su país, la aprehensión de Hromadka fue la meta primordial de la Gestapo..." (18) Mackay se solidarizó también con Hromadka cuando éste fundó la conferencia Cristiana por la paz (C.C.P.) Esta Conferencia llegó a ser un enlace entre los cristianos en los países comunistas y los cristianos fuera del bloque comunista. Hromadka fue criticado injustamente por "apoyar a los comunistas" a través de su larga vida por muchos cristianos, pero Mackay nunca dejó de defender la honradez personal y la integridad teológica de su íntimo amigo Josef Hromadka.

"Un Cesarismo Democrático."

El doctor Mackay y su esposa viajaron por América Latina durante seis semanas en 1946. Fue el primer viaje por vía aérea que ellos habían hecho y la primera vez que regresaban desde el año 1936. En esa ocasión visitaron a trece países diferentes. En *El otro Cristo español* (edición 1952), [19] Mackay habló del fenómeno de "un cesarismo democrático" en que "cada ciudadano que vota ha sido en una medida un supremo individualista, un César en miniatura. La acción unida y colectiva ha sido invariablemente díficil, salvo en aquellas ocasiones en que los individuos se amalgaman en una unidad por la fuerza de alguna gran pasión. Si bién la forma, o al menos el nombre del gobierno ha sido democrático, por lo general algún César ha tenido las riendas en las manos..." Mackay no fue ingenuo en cuanto al largo camino por recorrer hacia la democracia de los pueblos latinoamericanos, y siempre se encontró apoyando a los pequeños vislumbres de democracia en donde quiera que aparecieran por el continente.

Durante la larga gira por la América Latina en 1946 pasó por Guatemala en donde habló con el presidente José Arévalo, quien había sido estudiante de la Universidad de Buenos Aires cuando Mackay habló allí en los años treinta. Mackay recuerda el encuentro de las siguiente manera:

"El presidente Arévalo me dijo que las primeras palabras que él pronunció como candidato para la presidencia al volver a Guatemala del exilio fueron, 'En el nombre de Dios y del pueblo'. El dijo que los políticos (en Guatemala) no tenían la costumbre de referirse a la religión, pero Arévalo lo hizo porque la vida es

imposible de vivir en privado o en público sin referirse a Dios".
(20)

En el mismo viaje Mackay pasó dos horas con Jorge Eliecer Gaitán, candidato para la presidencia en Colombia, quien dijo a Mackay: "Ningun líder del pueblo puede dejar de estudiar cómo Jesús trataban a las masas... y su amor que rodeaba toda su persona e ideas." (21)

Paladín de la separación del Estado y la Iglesia: luchador por la libertad de culto

Los seminaristas de Princeton celebraron anualmente una fiesta en "homenaje" a sus profesores. Era ocasión de hacer bromas, tomar el pelo y hablar de los defectos leves del carácter. Todo fue hecho de buen humor. Una copla escrita "en homenaje" al doctor Mackay, reza así:

"Aquí está la media de Juan, el simbólico,
Ni él, ni el papa se quieren hablar;
La estrategia es su orgullo y deleite;
Obséquiale una esfera terrestre para alegrar
su Navidad."(22)

Mackay fue acusado de ser anti-católico por su enérgica defensa de la separación del Estado y la Iglesia. Por muchos años ocupó un puesto de liderazgo en la organización llamada "*Protestants and Other Americans United for the Separation of Church and State*" (Los Protestantes y otros americanos unidos por la separación de Estado y la Iglesia). Mackay creyó que el Vaticano y los obispos americanos estaban preparando una campaña fuerte para subvertir la Constitución de los Estados Unidos. El temía que la Iglesia Católica intentaba adquirir poder político para conseguir la subvención con fondos públicos de sus colegios parroquiales. Después de la Segunda Guerra Mundial hubo también una campaña de la Iglesia Católica Romana para que el gobierno de los Estados Unidos nombrara a un representante diplomático al Vaticano. Mackay también se opuso.

El no dejó de luchar contra el clericalismo que Mackay denotó como "el seguimiento de poder-en particular el poder político-por la jerarquía religiosa, y llevado a cabo por métodos seculares para lograr la dominación social". Cuando fue solicitada su opinión sobre la biografía del Cardenal Francis Spellman del Arquidiosesis de Nueva York, Mackay escribió con generosidad y cortesía, pero también con palabras realistas y dijo: Spellman representa el alma y símbolo de un nuevo clericalismo, es decir, representaba los esfuerzos del clero para subvertir los procesos democráticos de la Constitución de la nación a favor de la Iglesia Católica Romana; pero a su vez, Mackay opinó que ese nuevo clericalismo ya estaba perdiendo la batalla.(23)

El pensamiento de Mackay sobre el tema de la separación de la Iglesia y el Estado fue elaborado en forma magistral en un artículo en la revista *Theology Today* en 1951 bajo el título "Church, State and Freedom". (La Iglesia, el Estado y la Libertad). (24) El dijo que la libertad de culto era una de las bases más fundamentales de una democracia auténtica. Citó ejemplos de los resultados funestos "cuando la Iglesia llegó a ser el Estado". Reafirmó la posición histórica de la fe Reformada que tanto la libertad de la persona como la libertad de Estado están protegidos cuando un gobierno mantiene una clara separación de las funciones del Estado y la Iglesia.

Esta preocupación por la libertad de culto impulsó a Mackay en los años 1940 a dedicar mucho tiempo al Comité de Libertad de Culto del Consejo Nacional de Iglesias de los Estados Unidos. Este comité se dedicó a defender la libre expresión de la fé religiosa en todas las actividades personales y públicas. El enfoque del Comité fue tanto para los Estados Unidos como para la América Latina. Mackay tuvo que enfrentar las acusaciones de la jerarquía católica romana de que las misiones protestanes en América Latina eran elementos negativos que perturbaban la paz interamericana. Pero Mackay refutó los ataques de los periodistas católicos y aún de algunos prelados que le acusaron de fomentar el imperalismo protestante en la América Latina.

El Comité de Cooperación en América Latina envió al argentino Jorge Howard a la América Latina en 1944 para entrevistarse con líderes prominentes en la política, la educación y la religión referente a las acusaciones que el protestantismo era factor destructivo en las relaciones interamericanas y un elemento perjudicial al bienestar social y espiritual del continente. El informe de Howard fue publicado bajo el título *Religious Liberty in Latin America?* (25) Las entrevistas publicadas en este libro comprobaron que los aportes tanto culturales como espirituales del cristianismo evangélico en la América Latina eran contribuciones positivas para el desarrollo del continente. Todos los miembros del Congreso Norteamericano y los miembros del cuerpo diplomático latinoamericano en Washington recibieron ejemplares del libro por cortesía del Comité de Cooperación en la América Latina. Mackay escribió la presentación del libro del doctor Howard. El resultado neto de esta publicación fue un cambio notable y favorable en relación a la obra misionera protestante en América Latina. Además hubo una nueva valorización del protestantismo como una realidad permanente en el mundo religioso de América Latina.

Mackay apoyó los esfuerzos del Comité de Cooperación en la América Latina en los años 1950 a favor de la libertad de culto cuando una campaña anti-protestante brotó en Colombia. Stanley Rycroft, secretario del Comité de Cooperación en la América Latina, junto con amigos católicos norteamericanos y colombianos fueron actores claves en esa lucha que resultó en logros permanentes de la libertad de culto en Colombia.

En 1965 Mackay recibió la mención honorífica por la Libertad Religiosa del Comité, Protestantes y Otros Americanos Unidos para Separación de Iglesia y Estado con estas palabras:

"John Alexander Mackay : estadista cristiano, erudito hispanista, implacable enemigo de la tiranía; hombre sin temor, misionero al mundo, dedicado durante toda su vida a la causa de libertad religiosa..."(26)

Preocupación por los obreros migrantes

Durante los años de 1950 Mackay fue miembro del "Comité Asesor Nacional Pro-Obreros Migrantes", una agrupación que luchó a favor de la justicia social y las reformas legislativas para estos obreros oprimidos del sector agrícola. Eran mayormente los obreros hispanos y negros explotados vergonzosamente por las corporaciones agrícolas y los agricultores poderosos. Por unos diez años Mackay se vinculó con personajes como Frank Graham, Philip Randolph y Norman Thomas en este comité.(27)

Juan A. Mackay no fue solamente activo al nivel nacional a favor de los derechos de los obreros migrantes, sino participó, junto con su esposa, en un programa de servicio social para los obreros de habla hispana en el Condado de Mercer, New Jersey, cerca de Princeton. El programa fue auspiciado por la Asociación Cristiana de Jóvenes y las iglesias de la zona. El doctor David L. Crawford, colega del doctor Makcay y amigo íntimo por muchos años, cuenta de Mackay celebrando cultos en español para los obreros y sirviendo de intérprete para los obreros enfermos en la oficina del médico.(28)

"El discurso más difícil que jamás tuve que presentar"

Mackay dijo al autor que el discurso más difícil que jamás tuvo que preparar fue el que presentó en 1966 con motivo de la dedicación de una placa memorial en el Centro Comunal del Seminario de Princeton al fallecido militante del movimiento en favor de la justicia racial, James Joseph Reeb. Lo dífícil para Mackay no fue la participación de James Reeb en el movimiento de derechos civiles que Mackay apoyó sin reserva, sino el hecho de que Reeb se había declarado agnóstico después de graduarse del seminario y durante los años antes de su muerte.

En el discurso,"A Representative American of the Sixties: James Joseph Reeb", (Un representante Americano de los años 60) se refleja claramente la integridad moral y espiritual de Mackay. Al contemplar la realidad de los años del 1960 él veía a muchos de los militantes en el movimiento por la justicia racial que estaban solamente preocupados por la segunda parte del Gran Mandamiento: "amarás a tu prójimo como a ti mismo". Mackay afirmó en esta presentación que el Gran Mandamiento tiene que ser obedecido en su totalidad. De otro modo no tiene sentido para el cristiano practicar unicamente una parte.

El dedicó la placa conmemorativa a James Reeb con agonía de espíritu pensando en muchos de la época que militaron por la justicia social sin arraigarse en la base fundamental para esta militancia que es amor de Dios para la humanidad. (29)

NOTAS SOBRE EL TEXTO

1. Neil A.R. Mackay, "In Memoriam", *The Monthly Record* of the Free Church of Scotland, September, 1983.

2. Paul H. Lehman, "Also among the Prophets", *Theology Today* Vo..LII, No.1, 1959,354.

3. Véase "The Message and Decisions of Oxford on Church, Community and State", 1937. También John A. Mackay, "The Church's Task in the Realm on Thought",Princeton Seminary Bulletin, 31:3, November, 1937.

4. Juan A. Mackay, "South America's Pacific Problem",*The Student World* V.22 1, January,6,

5. Janet Harbison, *op. cit.*, 17

6. Juan A. Mackay, "Letter to Presbyterians" (Una carta a los presbiterianos) Octubre 1953. Minutos de la Asamblea General y de la Iglesia Presbiteriana, E.U.A. Parte I, *Journal* (Philadelphia, 1954), páginas 256-261. También se encuentra en H. Shelton Smith, Robert T. Handy, Lefferts A, Loetscher, *American Christianity* 2 vols. New York, Charles Scribner's Sons, 1960,1963.II, páginas 550-555. Mackay fue presidente del Consejo General de la Iglesia Presbiteriana, E.U.A. y redactó el documento con el apoyo de dicho cuerpo eclesiástico.

7. Carta, November 20, 1953, citada por James H. Smylie, en "Mackay and McCarthyism, 1953-54".

8. Juan A. Mackay, "A Representative American of the Sixties: James Joseph Reeb", *Princeton.Seminary Bulletin* Vol. LX,NO. 1 (1966),37.

9. Véase, Edward H. Roberts, "Communism and the Clergy", *Princeton Seminary Bulletin,* 47,octubre 1953,:2.

10. Juan A. Mackay, "Cuba in Perspective", *Presbyterian Life* July 15, 1961 y " Cuba Revisted", *The Christian Century,* February 24, 1964.

11. "Espejismos y Realidad en las Relaciones Interamericanas", una declaración de la Asamblea General de la Iglesia Presbiteriana Unida de E.U.A., 1969,30-31,22.

12.. Reader's Response "Mackay on Cuba",. *The Christian Century*, March 25, 1964.

13. Espejismo y Realidad..." op.cit.

14. Juan A. Mackay, "Letter to the President: end to Vietnam War urged", *Presbyterian Outlook,* CXLVII, No. 3,7 (1965). Una carta abierta al Presidente Lyndon Johnson firmada por Mackay y doce otros líderes de varias iglesias.

15. Juan A. Mackay, "How my mind has changed in this decade", *The Christian Century*, July 12,1939,874.

16. Véase *"Concerning a Smear Campaign"*. Declaración por Juan A. Mackay 6 de enero de 1950 en un ensayo no publicado página 4-5.Se encuentra en los documentos de la colección "John R. Mott", Day Mission Library, Yale Divinity School.

17. El discurso completo de Mackay en la Alianza Mundial de Iglesias Reformadas en Sao Paulo, Brazil. el texto se encuentra en "Sao Paulo Story: The Eighteenth General Council of the Alliance of the Reformed Churches, "Geneva, 1960, 166-175.

18. Juan A. Mackay, "Doom and Resurrection", Introducción al libro de Josef L. Hromadka. Véase también Charles C. West; "Josef L. Hromadka and the Witness of the Church in East and West Today", *Princenton Seminary Bulletin,* Vo. XI, New series, No. 1, 1990.

19. Juan A. Mackay, *"El Otro Cristo Español"*, versión amplificada, 1952, pp.272 ff. También en *Theology Today,* V. 3,No.3, 1947.

20. Juan A. Mackay, *The Presbyterian Outlook* Vol.57 No.1 (1947).

21. Ibid.,

22. "Here is the stocking of symbolical Jack; he and the pope are back to back. Strategy is his pride and joy, Give him a globe for his Christmas joy".

23. Juan A Mackay, "The Cleric of Clericalism" en *Christianity Today*,Vol. VI., No. 20,42.

24. Juan A. Mackay, "Church, State and Freedom", *Theology Today,* V.5, No. 8, July, 1951

25. Véase Jorge P. Howard, La libertad Religiosa en América Latina, La Aurora, Buenos Aires, 1945.

26. *The Presbyterian Outlook,* Vo.CXLVII, NO, 4 (1965), 16.

27. Véase Juan A. Mackay, "A Representative American of the Sixties: James Joseph Reeb". op.cit., 37.

28. Una entrevista con el doctor David L. Crawford por el autor, 25 de abril de 1990.

29. Véase Juan A. Mackay, "A Representative American of the Sixties: James Joseph Reeb, op.cit., 37.

D. MACKAY: ESTADISTA DE LA IGLESIA Y ECUMENISTA

La búsqueda de "La Iglesia": una larga peregrinación

Margaret Mead, socióloga renombrada, exclamó en su discurso a la Quinta Asamblea del Consejo Mundial de Iglesias en Nairobi en 1975 "¡Ustedes son una imposibilidad sociológica!".

De veras, el movimiento ecuménico en que participó Juan A. Mackay durante toda su vida es todavía un desafío estimulante al teólogo, un rompecabeza para el sociólogo, un conjunto de interrogantes para el internacionalista y para todos los cristianos un soplo de aire fresco en una época tan llena de sectarismo como es el Siglo XX.

Como joven de diecinueve años Mackay escribió estas palabras durante sus estudios universitarios en Aberdeen:"

"¿No son todos los cristianos miembros de una sola familia? ¿No son todos uno en Cristo Jesús?..." (II.9)

Mackay no llegó tan facilmente a abrazar la misión de la Iglesia tal como él lo expresó al reflexionar sobre la Conferencia Ecuménica de Oxford de 1937 en la forma siguiente:

"Que la Iglesia sea en verdad la Iglesia; que la Iglesia conozca a su Señor; que la Iglesia descubra la voluntad de El; que la Iglesia se prepare para su Servicio; y que la Iglesia se entregue sin reservas a la tarea espiritual con un espíritu de unidad..." (1)

Ni tampoco fue una luz repentina que le reveló una definición de ecumenismo en su libro sobre el ecumenismo escrito en 1964 y que describe así: "El ecumenismo es la ciencia de la Iglesia Universal, concebida como una comunidad misionera, en cuanto a su naturaleza, su misión, sus relaciones y su estrategia". (2)

La búsqueda de Mackay para comprender lo que es la Iglesia y su misión abarcó toda su vida. Los conceptos, citados, sobre la misión de la Iglesia y la ciencia del ecumenismo son los frutos de una vida activa dentro de la vida cotidiana de la Iglesia además de su contemplación teológica y misiológica. La interrogante de su juventud fue contestada a través de centenares de reuniones, horas de debate, docenas de discursos y la publicación de varios libros. Antes de considerar las respuestas de Mackay a las preguntas básicas del ecumenismo, pasemos a visitar de nuevo la formación espiritual de Mackay en su niñez y juventud, el impacto de sus estudios teológicos y las experiencias de su carrera misionera.

Mackay nació dentro de la Iglesia Presbiteriana Libre de Escocia que era, y que todavía es, una de las familias más dogmáticas y cerradas de la tradición Reformada. Fue dentro de la familia de los "presbiterianos pequeñitos" que Duncan e Isabelle Mackay criaron a sus cinco hijos en un ambiente ultraconservador, evangélico y piadoso. Los miembros de la Iglesia Presbiteriana Libre no aceptaron a ningún otro cristiano fuera de su rebaño como "salvo". Su iglesia fue la verdadera iglesia de Cristo. No fue hasta los estudios en filosofía e historia en la Universidad de Aberdeen y los primeros contactos con otras denominaciones que él llegó a conocer a un mundo cristiano más amplio.

Durante los años 1907 a 1912 Mackay asistió y participó activamente en, la Iglesia Bautista de Gilcomston en Aberdeen durante el año escolar y visitó a la congregación de la Iglesia Presbiteriana Libre en Inverness durante las vacaciones en la congregación de Gilcomston reinó un ambiente evangélico y misionero, pero también era una congregación que reconoció la validez de otras denominaciones. El mero hecho de que Mackay se sintiera bien en el seno de una congregación bautista como miembro de la Iglesia Presbiteriana Libre es índice del espíritu amplio de la tradición bautista escocesa.*

---

* **Nota del autor:** Mis padres se formaron en la Iglesia Bautista de Kelvinside en Glasgow durante los años 1899 a 1910 y me contaron también del mismo ambiente abierto hacia los evangélicos de las otras denominaciones no-conformistas de Escocia de la época.

Cuando Mackay resolvió ingresar como candidato para el ministerio en la Iglesia Libre de Escocia, tomó un segundo paso en su peregrinación ecuménica. El paso de una iglesia sectaria a una iglesia más amplia, pero una denominación que sólo se había separado de la iglesia presbiteriana oficial del país en 1843. De modo que la Iglesia Libre de Escocia todavía tenía algo del espíritu del separatismo. La gran ventaja para Mackay fue que entró en un ambiente más amplio de pensamiento teológico y acción misionera.

Durante los dos años en Princeton (1913 a 1915), parece que Mackay siguió buscando una iglesia más amplia. No lo encontró en la Iglesia Presbiteriana de los Estados Unidos de aquella época porque en América las iglesias presbiterianas continuaron muchas de las mismas luchas teológicas de las denominaciones en Escocia del siglo XIX. Mackay no vio en la Iglesia Presbiteriana de los Estados Unidos una institución que le atrajera fuertemente su lealtad. Esta decisión vino unos veinte años más tarde cuando la Iglesia Presbiteriana había hecho algunas decisiones fundamentales en su vida y había escogido un camino más progresista.

En el año de 1925 cuando respondió a la invitación de trabajar con la Asociación Cristiana de Jóvenes, Mackay la aceptó no solamente porque era un desafío misionero, sino porque tenía cierto desencanto con las limitaciones de la visión de la iglesia organizada en general. El dijo durante los seis años con la Asociación Cristiana de Jóvenes que buscaba una iglesia libre de prejuicios sectarios y una iglesia más de acuerdo con su propia visión misionera. El confesó en las citas ya indicadas que experimentó por un largo período muchas dudas en cuanto a la viabilidad de la Iglesia y sí el podía dedicarse a su misión con honradez y compromiso.

Pero para el año 1932, al aceptar la invitación de la Junta de Misiones en el Extranjero de la Iglesia Presbiteriana, parece que Mackay ya había resuelto tentativamente trabajar dentro de la iglesia organizada. Fue aceptado como miembro del Presbiterio de New Brunswick (Nueva Jersey) de la Iglesia Presbiteriana de los Estados Unidos. Junto con este retorno a la confianza en la iglesia institucional, Mackay se dedicó de nuevo a afirmar la misión de la Iglesia como una comunidad ecuménica y misionera.

En este período de su vida, Mackay empezó también a sentirse nuevamente bién dentro de una tradición cristiana confesional. En *El Sentido Presbiteriano de la vida* escribió en 1961 restrospectivamente lo siguiente: "...debemos admitir que las grandes confesiones o familias de iglesias, tienen la clave para el futuro del movimiento ecuménico. Nada se gana con profesar un ecumenismo fanático que desdeña y censura cualquier manifestación de entusiasmo o lealtad a una confesión..." [3]

Pero Mackay afirmó un confesionalismo abierto y rechazó el denominacionalismo que se jactaba de la pureza doctrinal en teoría y de la infalibilidad de su práctica. En el mismo libro citado, Mackay habla de "...Aquellos que cierran su instinto ecuménico y rechazan a otros cristianos que creen que el Espíritu Santo hizo surgir la confesión a la cual pertenecen..." [4].

Sí, Mackay volvió a la iglesia organizada en 1932 y regresó con una convicción profunda de la absoluta necesidad de definir la misión de Iglesia como instrumento para cumplir la voluntad de su Señor "para que todos sean una misma cosa...".

Mackay: estadista de la Iglesia Presbiteriana

Al ser elegido al puesto de Secretario Regional para América Latina y Africa de la Junta de Misiones, Mackay llegó a formar parte de una junta oficial de la Asamblea General de la denominación. Tenía acceso a la estructura nacional e interdenominacional de la Iglesia por medio de este puesto clave. Mackay fue invitado a hablar en reuniones grandes en los Estados Unidos y en Europa, además de visitar las universidades y seminarios de la Iglesia Presbiteriana. En resumen, este impresionate misionero y educador escocés del Perú, llegó dentro de un plazo breve a ser escuchado y leído por un gran sector de la Iglesia Presbiteriana. El fue conferencista del Movimiento Estudiantil de Voluntarios y de Asociación Cristiana de Jóvenes en varias ciudades. También participó en algunas misiones evangélisticas en grandes universidades de la nación. Mackay visitó muchos sectores de la donominación y llegó a comprender la crisis teológica por la cual pasó la iglesia durante el período de lucha interna de los años 1925 a 1932.

En 1936 cuando fue invitado a ser presidente del Seminario de Princeton, Mackay había llegado a ser un personaje conocido y respetado en la denominación, aún con menos de cuatro años de haber estado en los Estados Unidos. Su discurso inaugural en Princeton en marzo de 1937 "La Restauración de la Teología" marcó la pauta para un movimiento de renovación teológica en la Iglesia Presbiteriana.

Como consecuencia de su participación en la Asamblea General por medio de la Junta de Misiones y el Seminario de Princeton, Mackay fue nombrado por la Asamblea General a varias comisiones y comités de la denominación y del Consejo Federal de Iglesias Cristianas, el organismo interdenominacional fundado en 1923 por las denominaciones históricas. Mackay asumió un papel activo en el Comité de Cooperación en la América Latina, el Comité sobre la Libertad Religiosa y la Asociación Americana de Seminarios Teológicos.

Dentro de la Iglesia Presbiteriana presidió el Consejo de Seminarios Teológicos por varios años. Esa entidad coordinaba la vida de los siete seminarios de la denominación en cuanto al nombramiento de profesores, la elección de sus juntas gobernantes y la distribución de las ofrendas para ayudar a sostener economicamente esas instituciones.

Es de notarse que Mackay fue uno de los promotores principales de la reunificación de la Iglesia Presbiteriana de los Estados Unidos de América (del Norte) que se habían separado durante la Guerra de Cesesión en 1861. Mackay ganó la confianza de muchos líderes de la iglesia "sureña" y fue invitado a presentar conferencias en sus seminarios. A través de toda su vida, Mackay se esforzó para reconciliar las dos iglesias hermanas, Mackay invitó a formar parte del cuerpo docente del Seminario de Princeton a varios profesores de esa iglesia hermana. Una hija, Elena, fue comisionada junto con su esposo, el pastor Sherwood Reisner, como misioneros en México de la Junta de Misiones de la Iglesia "del Sur". La hora de la muerte de Juan A. Mackay sucedió casi a la misma hora del nueve de junio de 1983 del voto final de reunificación de las dos asambleas generales reunidas en Atlanta, Georgia.

Estas actividades al servicio de la denominación consumía mucho de su tiempo y resultando en su ausencia por días y semanas enteras del plantel del Seminario. Se cuenta de un comentario hecho por un profesor colega suyo en cierta ocasión cuando Mackay andaba fuera del Seminario por tanto tiempo: "El Dr. Mackay tiene que recordar las palabras del Salmista" "El Señor no se complace en las piernas del hombre" (i,e., en isus muchas andanzas!). (5)

A pesar de cierta crítica por parte de sus colegas por la gran cantidad de tiempo que dedicaba a la denominación, Mackay pudo ver crecer el Seminario de Princeton como institución de mucha influencia y prestigio.

Mackay: Líder prominente de la Iglesia Universal

La primera oportunidad de hablar a una conferencia mundial ocurrió en 1928 en la Segunda Conferencia Misionera de Jerusalén. Mackay fue invitado para presentar el desafío misionero de América Latina a la plenaria. Este discurso marcó la llegada por primera vez a la agenda de las iglesias latinoamericanas al foro máximo del movimiento misionero.

En 1937 fue a Inglaterra para participar en la Conferencia Ecuménica de Oxford, auspiciada por el Movimiento de "Vida y Obra", uno de los precursores del Consejo Mundial de Iglesias. Algunos miembros de la Comisión sobre la Iglesia y las Naciones que presidió Mackay eran el Arzobispo William Temple, John Foster Dulles and Wilhem Visser T'Hooft.

Durante los años 1938 a 1948 participó en el Comité Provisional del Consejo Mundial de Iglesias y jugó un papel importante en la Primera Plenaria del Consejo en Amsterdam en 1948. Su participación en el Consejo Misionero Internacional continuó después de la Conferencia de Jerusalén con su actuación en la Conferencia Misionera de Madrás en la India en 1938 y en Willigen en Alemania en 1947. En Willigen Mackay fue elegido presidente del Consejo Mundial de Iglesias, un puesto que ocupó hasta la reunión en Accra, Ghana en 1957. El dijo de esta elección que lo consideraba el honor más grande que jamás hubiera tenido en la vida. Fue durante la presidencia de Mackay del Consejo Misionero Internacional que se negoció la incorporación de ese cuerpo dentro de la estructura del Consejo Mundial de Iglesias.

En este mismo período, Mackay fue presidente también de la Alianza Presbiteriana Mundial de 1954 a 1959. Además de servir al nivel internacional en la vida de la iglesia reformada y presbiteriana, Mackay participó durante varios años (1955 a 1965) en la formación y desarrollo de la organización en América Latina de la Comisión Presbiteriana en América Latina (CCPAL) que auspició un programa de cooperación entre las iglesias presbiterianas en México, Cuba, Guatemala, Puerto Rico, Venezuela, Colombia, Chile, Uruguay y Brasil.

Mackay fue participante en dos de las grandes conferencias evangélicas latinoamericanas: la de Montevideo (1925) y de Lima (1961). Como miembro del Comité de Cooperación en la América Latina por muchos años, participante en varios de sus comités y autor de varios artículos sobre el ecumenismo en América Latina. Mackay fue elemento clave en facilitar el aumento del espíritu ecuménico y organizaciones de cooperación en el continente. Una declaración clásica fue "Las Iglesias Latinoamericanas y el Movimiento Ecuménico", pronunciado en noviembre de 1961 en la Reunión Anual de Estudio organizado por el Comité de Cooperación en América Latina.(6)

Mackay: Escritor e intérprete del ecumenismo

En 1965 Mackay publicó un libro que había tenido en preparación por mucho años *Ecumenics: Science of the Universal Church* ("El Ecumenismo: ciencia de la Iglesia Universal"). Este libro fue la integración de mucho material que él había presentado a los estudiantes del seminario de Princeton en su curso "Introducción al Ecumenismo" entre los años 1937 a 1959. La idea de escribir el libro surgió de una conversación durante una reunión del Fondo para la Educación Teológica en París en 1959 sobre la necesidad de un texto sobre el ecumenismo en los seminarios.

Ecumenics: The Science of the Church Universal: una obra monumental.

Mackay dice en el prefacio del libro que "la idea para producir el libro surgió tanto de lo subjetivo como de lo objetivo... el libro combinaría los ecos de la lucha del autor durante cuatro décadas para lograr comprender el concepto de lo ecuménico y su significado..."(7)

El libro fue escrito durante los mismos años del Segundo Concilio Vaticano (1961). Mackay afirmó que ese concilio de veras fue "ecuménico" por la presencia de representantes de todas las iglesias cristianas a pesar de que la participación oficial fue solamente de la Iglesia Católica Romana: Mackay escribió este libro dentro del contexto histórico y teológico del Siglo XX de la afirmación hecha por el Arzobispo de Canterbury, William Temple, en 1937: "El movimiento ecuménico es la gran y nueva realidad de nuestros tiempos".

En la primera parte del libro, Mackay trazó los datos históricos y marcó las reuniones importantes del Siglo XX en que el movimiento ecuménico tuvo un renacimiento en nuestros días. El afirmó los esfuerzos de la Iglesia Primitiva y la Iglesia Cristiana de los Siglos II a VIII para preservar la unidad de la iglesia contra las fuerzas destructivas afuera y adentro de la institución. Pero Mackay afirmó que la nueva realidad del mundo, un mundo autenticamente "ecuménico" en el sentido secular, requiere el término "ecuménico" para describir la iglesia cristiana. Como de la geografía surge la geopolítica, también sigue que el ecumenismo ha de definirse como una nueva "ciencia", la ciencia de la Iglesia Universal.

Mackay reconoció que el ecumenismo tiene que ser comprendido en relación a las disciplinas aliadas como la sociología, la eclesiología, la historia de la iglesia, la historia de las misiones, las religiones comparativas y la geopolítica. Mackay trata de ciertos enfoques específicos de esta nueva disciplina: la iglesia como una estructura física, la iglesia como una congregación local, la iglesia como una tradición religiosa y la iglesia como una jerarquía eclesiástica. En esos aspectos la iglesia se considera como una realidad empírica. Pero el mayor énfasis está sobre la Iglesia como una realidad espiritual: una comunidad y una comunidad misionera en Cristo. Mackay afirma que la esencia de la Iglesia Cristiana es "comunidad" y su destino es el cumplimiento de su llamado misionero.

La segunda parte del libro es una presentación de la Iglesia dentro de los propósitos de Dios. Mackay escribe de "el pueblo del pacto", las presuposiciones Abrahámicas, el lugar central de Cristo y el papel de Pedro en la Iglesia. Como siempre Mackay utilizó de nuevo las imágenes bíblicas del Nuevo Israel, el Rebaño de Dios, el Templo de Dios, la Esposa de Cristo y el Cuerpo de Cristo. La contribución singular de Mackay en esta parte es su presentación de la Iglesia como "un compañerismo del Camino" con ilustraciones del ensayo de Miguel de Unamuno sobre "El Sepulcro de Don Quijote" y el espíritu de compromiso de guerrilleros modernos. (8) Habla de "la conquista de nuestra carne, nuestro temor, nuestra hambre... nuestras pasiones e impulsos. Buscamos la conquista de nuestro egoísmo y para sacrificarlo por una causa..."(9)

En la tercera parte del libro, Mackay habla de las funciones de la Iglesia Universal: la función de la adoración, el ministerio profético, el ministerio redentor y la función unificadora de la Iglesia. Sobre la última función, la unificadora, el repasa el carácter confesional de los ortodoxos, los católicos romanos, los protestantes históricos y los protestantes radicales. Existe en Mackay un análisis profundo y cabal de las muchas facetas complejas que están involucradas en la búsqueda de la unidad cristiana.

En la última sección del libro, sobre "La Iglesia y el Mundo" Mackay se dirige a la inmensa dimensión global del ecumenismo: la Iglesia Cristiana en relación a las religiones no-cristianas, la Iglesia y la sociedad, la Iglesia y la cultura y la Iglesia y el Estado. Mackay nunca dejó de hablar de la experiencia total de lo que es ser cristiano "ecuménico" en el mundo actual. En el breve epílogo, Mackay lanzó un desafío de ¡Adelante, un compañerismo del Camino, en toda época, continente, sociedad y estado!. (10)

Tres apreciaciones sobre el libro *El Ecumenismo: Ciencia de la Iglesia Universal.*

El obispo Lesslie Newbigin dice que el libro ocasiona una pregunta acerca del status de "La Ciencia del Ecumenismo" como una disciplina separada en la educación teológica. Newbigin opina que el curriculum entero ha de reformularse en los términos que Mackay propone; es decir, la Iglesia concebida como comunidad misionera. Continua Newbigin diciendo que el fruto de esta obra de Mackay puede hacer innecesaria tal disciplina porque el enfoque entero de los estudios teológicos será "el desarrollo de una estrategia cristiana para cumplir Gran Mandato de Jesucristo..." (11)

El profesor James H. Smylie comenta también sobre el uso del termino "ciencia" para el estudio del ecumenismo. A él le parece que la consideración de la Iglesia Universal, tanto un hecho empírico como una realidad espiritual, no requiere una disciplina separada en la educación teológica. Pero Newbigin y Smylie concuerdan que el libro es una obra monumental en la historia del ecumenismo.(12)

Finalmente el profesor Richard Shaull piensa que el libro fue escrito veinte años demasiado tarde. Segun Shaull, Mackay ya había hecho sus contribuciones al ecumenismo en los años de 1940 y 1950, pero cuando al fin pudo escribir este tomo las corrientes ecuménicas ya habían avanzado hacia nuevas fronteras. Lo significativo del pensamiento de Mackay expresado en este libro sobre el ecumenismo es la dirección en que él impulsó la Iglesia.(13)

Pero en todo caso el libro *Ecumenics: Science of the Church Universal* (El Ecumenismo: Ciencia de la Iglesia Universal), fue el primer libro que trataba a fondo y con una amplitud increible, las bases bíblicas y teológicas además de las implicaciones ecclesiológicas y prácticas del Ecumenismo. Y por eso el libro representa un hito clave en el camino hacia la unidad de los cristianos.

NOTAS

1. Juan A. Mackay. op.cit., How my mind has change in this decade. 875

2. Juan A. Mackay, *Ecumenics: Science of the Church Universal, 27.*

3. Juan A. Mackay, *El Sentido Presbiteriano de la Vida,* 305.

4. Ibid. 305.

5. *Salmo* 147:10, Versión Reina Valera.

6. Véase, "Las Iglesias Latinoamericanas y el Movimiento Ecuménico", Ediciones Cupsa, 1989.

7. Juan A. Mackay, *Ecumenics: Science of the Church Universal,* VIII.

8. Juan A. Mackay.,op.cit., 98-99.

9. Ibid., 100.

10. Ibid., 265.

11. Lesslie Newigin, Un repaso del libro *Ecumenics: Science of the Church Universal,* en *Princeton Seminary Bulletin,* 1965.

12. James H. Smylie, un repaso del mismo libro en *Presbyterian Outlook,* Vo. CXLVII, N° 28, 1965.

13. Un resumen de una carta de Richard Shaull al autor, 14 de mayo, 1990.

EPILOGO

MACKAY: HOMBRE DE SU EPOCA CON VISION

Un Hombre de su época

La idealización es la tentación de todos los biógrafos. Por eso es preciso recalcar que éste gran visionario del Siglo XX sufrió de las limitaciones de su época las cuales impactaron a su teología y su acción. Mackay pasó la primera parte de su carrera con unos anteojos puestos en cuanto a la comprensión de las estructuras de injusticia existentes en América Latina. El se dio cuenta de la maldad en su derredor, pero no logró una comprensión del orígen de esta triste realidad en dicho continente. Sin embargo, en la década de 1960 se ve que él estaba empezando a darse cuenta de estas realidades y de la relevancia de la fe cristiana en relación a esta situación trágica del hemisferio cuando era asesor de la Comisión sobre Relaciones Interamericanas de la Iglesia Presbiteriana. El informe de esta comisión confrontó la realidad de las estructuras injustas del hemisferio.[1]

Mackay no fue teólogo de la liberación tal como esto se entiende en la actualidad. Pero su compromiso con la humanidad en su lucha para una vida más digna, así como su comprensión de las fuerzas malignas que actuan en el mundo para destruir esta dignidad, sin duda ha hecho una contribución singular a las bases teológicas de la teología de la liberación. Pero no es claro si Mackay logró comprender el papel de los pobres como los sujetos de su propia historia y actores en su propia liberación. Mackay fue hijo de su época en cuanto a esta percepción.

Mackay fue un "liberal" de los de su época. Fue militante con la pluma contra la maldad en la sociedad, pero no fue un cruzado al estilo de Martin Luther King que fue a la cárcel y desfiló en protesta por las calles. En 1938 cuando el Concilio del Movimiento Estudiantil de Voluntarios se reunió en Princeton y un hotel principal rehusó servir a los participantes negros, Mackay les ofreció la hospitalidad del plantel del Seminario.(2) Pero Mackay no lanzó un boicoteo contra el hotel. Tenemos que reconocer que Mackay se situó muchas veces en la vanguardia profética y que estaba mucho más adelantado que otros líderes de su época.

Hay que decir que Mackay defendió el movimiento misionero moderno a veces sin prestar atención a algunas de las críticas válidas de líderes cristianos del Tercer Mundo en cuanto a "un imperialismo misionero". ¿Fue Mackay sensible a la relación entre las misiones occidentales y las economías de los países capitalistas? Queda por examinar este aspecto de los escritos de Mackay. ¿Es posible hallar en Mackay alguna indicación de que él vislumbraba una nueva era en la que los cristianos del Tercer Mundo llegarían al Primer Mundo y al Segundo Mundo para evangelizarlos? Pero Mackay nos hace recordar en la introducción de *El Otro Cristo español* el peligro de que también los anglosajones llegaran a presentar en su mensaje misionero otro Cristo desfigurado llamado "El Cristo Británico-Americano" (3)

¿Fue Mackay sensible a la condición de los indígenas y su genocidio a manos de una civilización llamada "cristiana"? Esto y mucho más queda por analizar sobre Mackay como hijo de su época, pero sin perder de vista que fue pregonero de una nueva era. Juan A. Mackay siempre dibujaba "el cuadro grande", pero queda por estudiar más a fondo si él comprendía los detalles dentro de esta dimensión panorámica que él trazó.

MACKAY: UN HOMBRE DE VISION

Hay que contemplar y juzgar los logros de este siervo de Dios dentro del contexto de su época. Pero Juan A. Mackay, ciertamente, ha dejado no sólo un modelo de vida para hoy, sino también una visión para el día de mañana. Mackay fue sobre todo un visionario.

Una visión del Dios Trascendente

Junto con los místicos españoles, Mackay intentaba subir los muros de los sentidos y de las experiencias para ver "más allá". En su búsqueda constante de este Dios Trascendente, el afirmó su convicción de que todos los sistemas teológicos son incompletos. El estaba de acuerdo con Henry Weiman de la Universidad de Chicago al decir: "Lo mejor de cualquier sistema de teología es que no es lo último".

Una visión de la vida cristiana

Para Mackay "aquel escocés enamorado de Cristo" la palabra "piedad" connota una vida en la que Dios es todo y en todo, juntamente con las consecuencias de integridad personal que provienen de esta declaració de fe. "Para ser de veras 'piadosa' la persona se transforma en un hombre nuevo en Cristo, es un participante en la nueva humanidad... y un individuo que experimenta la realidad de un cambio espiritual manifestado en su diario andar" (4) Mackay afirmó en todo su ministerio que una piedad relevante para nuestros tiempos es aquella experiencia de

haber sido asidos por el Dios Viviente, como fue el joven huma-
nista francés, Juan Calvino. Mackay dijo que la piedad fue lo que
hizo de Calvino el gran teólogo del Espíritu Santo.

Una visión de la convivencia humana

"Nuestro mundo es un organismo ecuménico. En los tiempos
modernos una nueva fuerza secular ha entrado en acción, la
fuerza de la tecnología. A causa de las conquistas técnicas, hemos
visto el nacimiento de una nueva "oikoumene" de los griegos y
romanos". (5) Mackay contempló esta "era ecuménica" en que
vivimos como un desafío para lograr una convivencia humana
nunca jamás antes concebida. Este mundo como un organismo
ecuménico tiene posibilidades inmensas para afirmar con Pablo
y los sabios griegos que somos todos miembros de una sola familia
en "esta tierra habitada". Mackay levantó en alto una visión de
una sola familia humana y del papel reconciliador de la comunidad cristiana dentro de esta convivencia ecuménica.

Una visión de la Iglesia como comunidad misionera

"La Iglesia no puede existir como una colectividad que conserva meramente 'las verdades venerables' o 'los principios morales exaltados', como decía Karl Barth. La Iglesia para ser iglesia
de veras tiene que ser misionera por convicción y compromiso...Los Cristianos son llamados a hacer conocer el Evangelio a
todas las naciones y para vivir el Evangelio en cada esfera y en
cada aspecto de la vida terrenal". (6)Esta visión de Mackay acerca
de la Iglesia se repitió constantemente en sus palabras y acciones
a través de los setenta años de su ministerio. Mackay se regocijó
durante su vida de que el movimiento misionero del Siglo XX
llevó adelante la misión de la Iglesia, haciendo sus límites coex-
tensivos con el mundo habitado. Este movimiento misionero y
ecuménico ha sido la señal principal de que la Iglesia está alerta
a la visión que Dios le ha dado.

Una visión de la teología y de un seminario teológico

"La teología es el entendimiento de Dios que nace en la comunión con Dios y nos lleva a la contemplación y discusión de todas las cosas humanas y divinas a la luz de Dios".(7) Para Mackay la teología tiene que ofrecernos una perspectiva de todo lo que existe y de todo lo que sucede en la vida.

"El pensador cristiano" para Mackay, no es un contemplador distante que imita a la deidad de Aristóteles, él que 'piensa sobre el pensamiento'. Al contrario, el teólogo es un caminante que se ha encontrado con Dios en un encuentro que ha cambiado profundamente toda su perspectiva. Como resultado de aquel encuentro el pensador cristiano llega a ser, no tanto un pionero andando por terrenos extraños, sino un niño que llega a conocer a su Padre...El teólogo es un viajero que es alcanzado en el camino por una Presencia Perturbadora".(8) Para Mackay este encuentro lleva al viajero a un compromiso irrevocable con el Dios Vivo, el Dios Caminante que es su Padre y Redentor.

"El seminario teológico es o debe ser... un semillero de la cultura verdadera...orgánicamente arraigado en la tradición cristiana que proveerá la dirección para la restauración de la cultura...El seminario ha de ser el lugar donde el futuro pastor forme una amistad con las grandes ideas de la herencia de la fe cristiana...y donde se casa, en el sentido de Miguel de Unamuno, con la idea suprema, que es más que una idea, Jesucristo, La Verdad".(9)

El Doctor Mackay no alcanzó a ver este sueño realizado en el Seminario Teológico de Princeton, ni en sus sucesores, pero colocó en alto un ideal para una institución de formación teológica: una comunidad de convivencia humana, de reflexión teológica y de compromiso con la sociedad.

Una visión del Hemisferio Occidental como hermandad espiritual, libre y comprensiva.

En una forma muy particular, se ha recibido de Juan A, Mackay una visión de este hemisferio occidental como una comunidad de naciones que convive en armonía y comprensión. Pero "la paz americana" no se fundamenta en la yuxtaposición geográfica, ni en "un panamericanismo" impuesto a base de intereses económicos e ideológicos, sino en una aceptación mútua de los valores culturales y la herencia espiritual del hemisferio de las culturas indígena, africana, hispana, europea y anglosajona...Mackay solía citar a Sáenz Peña cuando dijo: "Las Américas para los americanos, no; sino, las Américas para la humanidad".

Juan A. Mackay, como intérprete de la cultura hispana al mundo anglosajón, no se contentó con el análisis llamativo del José Enrique Rodó que la América del Norte era "el Calibán materialista" y la América del Sur "El Ariel idealista". Mackay afirmó que las dos Américas tenían que aprender la una de la otra para poder decubrir "El Mundo Nuevo" que tanto anhelamos. Al acercarse al Quinquecentenario de la llegada de los primeros cristianos europeos al suelo americano, todavía queda un inmenso desafío para todos los americanos, indígenas y advenedizos. Quedan por derribar las estructuras injustas que oprimen al pueblo; falta el arrepentimiento por las acciones militares vergonzosas que han violado la autodeterminación de los pueblos y queda para el milenio próximo para todos los cristianos y personas de buena voluntad alcanzar el cumplimiento de esta visión de un hemisferio donde reine la paz que nace de la justicia y el amor.

Resumir el significado y sentido de un líder cristiano en el campo del pensamiento cristiano y la acción misionera, es una tarea ardua que demanda una íntima y honesta respuesta. El Doctor Mackay fue un hombre de visión en su pensamiento, de palabra y acción o práctica cristiana---un hombre de integridad, de compasión y de una comprensión profunda del Evangelio de

Cristo así como en el área de las relaciones entre los seres humanos.

De esta manera, la herencia teológica del Doctor Mackay en relación a América Latina es multifacética y de alcances ilimitados. La grandeza de Juan A. Mackay está irrevocablemente relacionada con su obra magistral *El otro Cristo español*. El tenía una visión de una América Latina nueva transformada por el poder de "El otro Cristo...", que en fin de cuentas es el Cristo Vivo de los Evangelios. El alma de América Latina, afirmaba Mackay, no se redimirá por la visión del Cristo muerto cuya imágen se encuentra dibujada o esculpida en el paisaje de tantas aldeas y pueblos, sino por medio del Cristo vivo, Aquél que una vez dijo" "Yo soy el Camino, la Verdad y la Vida..."

NOTAS

1. Véase el informe "Espejismo y Realidad en las Relaciones Interamericanas", op.cit., 15-20

2. Véase carta de Juan A. Mackay, a Paul J. Braisted de la SVM, 9 de septiembre, 1938 en Record Group # 42, *Day Mission Collection*, Yale Divinity School, New Haven, CT,

3. Juan A. Mackay, *El Otro Cristo español*, 26

4. Juan A. Mackay, "The Restoration of Piety", *Princeton Seminary Bulletin*, Vo. LIV, Nº 1, July, 1960,49

5. Véase Juan A. Mackay, *Ecumenics: Science of the Church Universal*, op. cit., 26-27

6. Ibid., 51

7. Juan A. Mackay, "Theology in Education", *The Christian Century* (1951) Nº 17,521.

8. Juan A. Mackay, op.cit., 521.

9. Ibid., 522.

CRONOLOGÍA RESUMIDA
John Alexander Mackay
1889-1983

1889   Nace el 17 de mayo de 1889, Inverness, Escocia.

1895-1907   Estudios primarios: estudios secundarios en la Academia Real de Inverness.

1907-1913   Estudios universitarios, King's College, Universidad de Aberdeen.

1913-1915   Estudios teológicos, Seminario Presbiteriano de Princeton, N. J. E.U.A.

1915   Viaje de ocho semanas por Sudamérica.

1915-1916   Estudia en Madrid, España en la Residencia de Estudiantes y en el Centro de Estudios Históricos. Conoce a Miguel de Unamuno.

1916   Matrimonio con Jane Logan Wells en Inverness, su ordenación y salida para el Perú para principiar su obra misionera.

1916-1925   Servicio misionero en Lima, Perú. Fundador del Colegio Anglo Peruano. Estudios y enseñanza en la Universidad de San Marcos. Conferencista en el Congreso Evangélico de Montevideo - 1925.

1926-1929   Trabaja como Secretario de Obra Religiosa para la América del Sur de la Asociación Cristiana de Jóvenes en Montevideo.

1928   Orador en la Conferencia Misionera Mundial en Jerusalén.

1929-1930   Año de licencia en Escocia y Alemania. Estudios con Karl Barth en Bonn durante el verano.

1930-1932 Residencia en la Ciudad de México continuando su trabajo con la Asociación Cristiana de Jóvenes Publicación del libro *The Other Spanish Christ.*

1932-1936 Secretario para la América Latina y Africa con sede en Nueva York.

1936-1959 Presidente y profesor, Seminario Teológico Presbiteriano, Princeton, New Jersey, E.U.A.

1937 Participante en la Conferencia de Iglesia, Comunidad y Estado, Oxford, Inglaterra.

1944 Fundó la revista "Theology Today".

1946-48 Miembro del Comité Provisional del Consejo Mundial de Iglesias.

1939-1951 Miembro y Presidente de Junta de Misiones PCUSA.

1953-54 Moderador de la Asamblea General PCUSA.

1954-59 Presidente de Alianza Presbiteriana Mundial

1947-57 Presidente de Concilio Misionero Internacional.

1948-1957 Miembro del Comité Central del Consejo Mundial de Iglesias.

1959-1983 Los años de jubilación con residencia en Chevy Chase, MD y Hightstown, NJ, Conferencista, consultor, estadista de la iglesia hasta su muerte el 9 de junio de 1983.

BIBLIOGRAFIA

La bibliografía se presenta por orden alfabético y por título. En la primera sección se encuentran los libros, algunos de los folletos y artículos escritos por Juan A. Mackay; en la segunda sección los escritos acerca de él; y en la última, los materiales utilizados en la preparación de este libro. El estudio bibliográfico más completo sobre las obras de Mackay se encuentra en la tesis de Stanton R. Wilson, *Studies in the Life and Work of an Ecumenical Churchman*, tesis no editada, Princeton Theological Seminary, Princeton, New Jersey, 1958, revisada en 1978.

LAS HISTORIAS ORALES
con Gerald W. Gillette

Las citas autobiográficas de Juan A. Mackay son tomadas mayormente de las seis historias orales (7-XII-73; 1-II-74; 15-III-74; 21-X-75; 18-XI-75 y 20-IV-76) grabadas por Gerald W. Gillette con el Doctor Mackay. Estos documentos se encuentran en The Presbyterian Historical Society en Filadelfia, Pennsylvania y se ha usado en este libro con el permiso de dicha entidad. Las traducciones son del autor. Algunas citas reflejan una traducción literal; otras, son resumenes de las conversaciones entre Gillette y Mackay.

En el texto, estas referencias se anotan con los numerales I,II,III,IV,V,VI y las páginas correspondientes.

A. LIBROS, FOLLETOS Y ARTÍCULOS POR
JOHN A. MACKAY

LIBROS

Don Miguel de Unamuno: su personalidad, obra o influencia Ernesto R. Villarán, Lima, 1919. Tesis para incorporarse al grado del Doctor de Filosofía y Letras. También se encuentra en *Revista Universitaria:* Organo de la Universidad Mayor de San Marcos, Lima, Vol. II, cuarto trimestre, 1918.

Mas yo os Digo. Buenos Aires: Editorial Mundo Nuevo, Federación Sudaméricana de Asociaciones Cristianas de Jóvenes, 1927.

El Sentido de la Vida, pláticas a la Juventud, Montevideo, Editorial Mundo Nuevo, 1931. Este libro también se tradujo al portugués. Cuarta edición, 1988 por Ediciones Presencia, Lima.

The Other Spanish Christ. New York, Macmillan, 1932. Este libro fue traducido al español y al portugués. La segunda edición en español fue publicada en 1989 por Casa Unida de Publicaciones (México), Ediciones La Aurora (Buenos Aires) y Semilla de (Guatemala).

That Other America. New York, Friendship Press, 1935.

A Preface to Christian Theology. New York: Macmillan, 1943. También se encuentra en español y japonés. La tercera edición en español fue publicada por Casa Unida de Publicaciones, México, 1983, y Casa de Publicaciones El Faro.

Heritage and Destiny. New York, Macmillan, 1943.

Christianity on the Frontier. London, Lutterworth Press, 1950. También publicado en el mismo año por Macmillan, New York.

God's Order: The Ephesian letter and this present time. New York: Macmillan, 1953. Fue traducido al portugués y en español con el título *El Orden de Dios y el Desorden del Hombre*, Casa Unida de Publicaciones, México, 1964.

The Presbyterian way of life. Englewood Cliffs, New Jersey: Prentice Hall, 1960. Edición en español El Sentido Presbiteriano de la Vida, A,I,P,R,A,L., México, 1969, y El Faro, México.

Ecumenics: The Science of the Church Universal. Englewood Cliffs, New Jersey: Prentice Hall, 1964. Traducido al coreano, 1966.

His Life and Our Life: the life of Christ and the Life in Christ. Philadelphia: Westminster Press, 1964.

Christian Reality and Appearance. Richmond: John Knox Press, 1969. Edición en el español *Realidad e Idolatría* en el *Cristianismo Contemporáneo.* Buenos Aires: Editorial La Aurora, 1970.

FOLLETOS (Lista parcial)

"¿Existe una relación entre la Asociación Cristiana de Jóvenes y la Religión?" Montevideo, 1927.

"A los pies del Maestro". Montevideo: Editorial Nuevo Mundo, 1930.

"Protestantism". Princeton, New Jersey, 1955. En serie "Princeton Pamphlets - 10". También reimpreso por *Presbyterian Life*, v. 8:25, December 24, 1955, 11-24.

"Las Iglesias Latinoamericanas y el Movimiento Ecuménico". Un discurso presentado a la CCLA en 1961, Segunda edición por Casa Unida de Publicaciones, México, 1989.

"The Spiritual Spectrum of Latin America". Un discurso presentado a un simposio en 1965. Latin American Departament, National Council of Churches of Christ in the U.S.A., New York, New York, 1965.

"Robert Elliot Speer: A Man of Yesterday Today". *Princeton Seminary Bulletin,* Vo. LX, Nº 3, June, 1967, 11-12. También reimpreso en el mismo año por la Comisión de Misión y Relaciones Ecuménicas con motivo del centenario del nacimiento de R.E.Speer.

ARTICULOS Y EDITORIALES EN REVISTAS Y PERIODICOS
(lista parcial y cronológicamente presentados)

1915

"Leaves from the Diary of a Missionary Tour". En *The Instructor,* vol. IX y X (1914-17), 33, 60, 104, 129, 157, 181, 206, 241, 258.

1916

"The report of a Spy" en *Free Church of Scotland Foreign Mission Quarterly,* vol. VI, no.1 (1916), 3-10.

The Monthly Record of the Free Church of Scotland, "The South American Mission", Vol. XVI (New Series), No. 192 (1916), 157-160. La despedida de los esposos Mackay en Edimburgo al embarcarse para el Perú.

1917

The Monthly Record of the Free Church of Scotland, "South America", Vol. XVII (New Series), No. 199 (1917), 70.

1918

"Dos Apostoles de la Democracia", *El Mercurio Peruano,* Año 1, Vol. I, No. 5, Noviembre, 1918, 255-260.

1919

"Wordsworth y Los Laquistas", *El Mercurio Peruano*, Año II, Vol.III, No. 15, 1919, 1781-1793.

1920

"Student Work in a South American University", *The Student World*, 13:3, 89-97 (1920).

1921

"La Profesión de Hombre" en *Mercurio Peruano,* año IV, vo. VI, No. 33,34 (1921), 180-200.

"Religious Currents in the Intellectual Life of Perú en *The Biblical Review,* vol. VI, No.2 (1921), 192-211.

1923

"Los intelectuales y los Nuevos Tiempos" en *Mercurio Peruano*, Año 6, v. 10:57, Mar., 1923

1924

"Student Renaissance in South America", en *The Student World*, Vol. XVII, No.2 (1924), 62-66.

1926

"The Unfulfilled Dream of Colombus", New York, Presbyterian Board of Forsign Missions, 84-93,(1926)

1927

"The Passing of Pan Americanism", en *The Christian Century*, Vo. XLIV, No. 20 (1927), 618-619.

1928

"The Power of Evangelism in South America". Discurso a la Segunda Conferencia Misionera Mundial en Jerusalén, 1928, Concilio Misionero Internacional, New York, Vo.8,90-93. También "The Evangelistic Duty of Christianity", ensayo preparado para la misma conferencia. Vo. 1,383-396.

"South American's Pacific Problem", en *The Student World*, Vo. XXII, Jan. 1928.

"Contemporary Life and Thought in South America in relation to Evangelical Christianity", New York, The Foreign Missions Conference of North America, 1923, 135-142.

"Cultural Peaks in Contemporary South America", *Interamerican Cultural Relations,* New York Education Advance in South America, 1923, 135.

"An Introduction to Christian Work among South American Students", *International Review of Missions*, 17: 278-290, (1920)

"Adventures in the mind of Latin America". Discurso a la Décima Convención del Movimiento Estudiantil de Voluntarios en Detroit, M1.(1927). New York, SVM, 167-172.

1929

"La Juventud Estudiantil", El Heraldo Cristiano, La Habana, 1929.

"The Ecumenical Spirit and the Recognition of Christ". International Review of Missions, Vol. 18, (1929), 332-345.

1932

"Some New Trends in Latin America", The Missionary Review of the World, Vol. 55: 1, Jan. 1932, 17-20.

"God's Springtime". Discurso a la XVI Convensión del Movimiento Estudiantil de Voluntarios, En Buffalo, NY, New York, SMV, 1932, 51-59

1933

"Semblanzas Americanas", *La Nueva Democracia*, Mayo, 1933.

"The Laymen's Foreign Mission Inquiry: report of the Committee of Appraisal", John A. Mackay and Kenneth S. Latourette, *International Review of Missions*, 1933.

1934

"Education and Religion in Mexico", *The Missionary Review of the World*, **Vol. 57:3, 1934, 133-134**

1935

"The Crucial Issue in Latin America", Missionary Review of the World, 11935, 5127-5128.

1936

"Concerning Man and His Remaking", *Princeton Seminary Bulletin*, Vo. XXX, No. 3, Dec., 1936.

1937

"The Restoration of Theology", *Princeton Seminary Bulletin*, Vol. XXXI, No. 1, April, 1937, 7-18.

"The Church's Task in the Realm of Thought", *Princeton Seminary Bulletin*, Vol. XXXI, No. 3, Nov. 1937.

1939

"On the Road: How my mind has changed in the decade", *The Christian Century*, Jul. 1939, 873-875.

1941

"Heritage and Destiny", *Princeton Seminary Bulletin*, Vo. XXXIV, No. 4, Feb., 1941.

1943

"The Churches...Details of the World Order...Enduring Moral Principles", en *The Righteous Faith* una publicación del Consejo Nacional de Iglesias de Cristo, New York, NY., 1943, 38-44.

"Hierarchs, Missionaries and Latin America", *Christianity and Crisis*, Vol. III, No.7, Mayo 3, 1943.

"Personal Religion", *Princeton Seminary Bulletin*, Vol. XXXVIII, Dec., 1943, 3-10.

1945

"Introduction", *Doom and Resurrection*, by Josef L. Hromadka, Madrus House, Richmond, VA., 1945.

"El Crepúsculo de la Cultura", en Puerto Rico *Evangélico*, 25 de mayo, 1945, 16.

1947

"A Theological Meditation on Latin America", *Theology Today*, Vol. III, No. 4, Jan.1947.

1948

"At the Frontier", *Princeton Seminary Bulletin*, Vol. 41:3, 1948, 14-21.

"A Theological Foreward to Ecumenical Gathering", *Theology Today*, Vol. V, No.2, July, 1948.

"The Missionary Legacy of the Church Universal", *International Review of Missions*, Vol. 37 (1948), 369-374.

1949

"Truth as a Banner", *Theology Today*, Vol. VI, No. 2, July, 1949.

1950

"Concerning a Smear Campaign". Una declaración personal preparada por Juan A. Mackay, January 1950. Record Collection No. 48, Day Mission Colection, Yale Divinity School.

1951

"Church, State and Freedom", *Theology Today*, Vol. 8:2, July, 1951, 218-233.

"Theology in Education", The Christian Century, No. 17,521-523. También en *Theology Today*, Vol. VII, July, 1950, No. 1, 145-150.

1953

"A letter to Presbyterians concerning the Present Situation in Our Country and in the World". Un mensaje aprobado por el Concilio General de la Iglesia Presbiteriana, E,U.A., 21 de octubre, 1953. El Doctor Mackay escribió el borrador original. Este documento fue aprobado unanimemente por la Asamblea General de dicha iglesia en mayo de 1954. Se encuentra esta carta en el texto completo en *Presbyterian Outlook*, Vo. CXXXV, No. 3 (1953), 4: No. 4,7; No. 7,6-7

1954

"La Iglesia y el Orden Social",*La Nueva Democracia*, v. 34:1, enero, 1954, 18-21.

"Portent and Promise in That Other America", *Princeton Seminary Bulletin*, v. 47:3, enero, 1954, 7-16.

"The New Idolatry", *Theology Today*, Vo. 10, (1954), 382-383.

1955

"The Glory and Perils of the Local", *Princeton Seminary Bulletin*, Vo. XXVIII, No. 3, Jan, 1955, No. 1, 1-4.

1956

"Bonn 1930 - and After: A Lyrical Tribute to Karl Barth", *Theology Today*, Vo. XIII, No. 3, Oct. 1956, 287-294.

1957

"The Aims and Functions of Ecumenics in the Seminary", Conferencia de Profesores de Ecumenismo, Septiembre 2, 1957, 3-4.

1958

"The Form of a Servant: The Restoration of a Lost Image", *Princeton Seminary Bulletin*, Vo. LI, No. 3, Enero, 1958, 3-12.

"Definición de la Libertad Religiosa", *El Centinela*, 62:9, Septiembre, 1958, 4-5.

"The Commission on Ecumenical Mission and Relations of the United Presbyterian Church in the United States of America: An Interpretation", New York, COEMAR, 1958.

1960

"The Restoration of Piety", *Princeton Seminary Bulletin*, Vo. LIV, No. 1, Julio 1960, 48-51.

"The Other Side of the 'Catholic Issue', U.S., *News and World Report*, Vol. XLIX: 1, Julio 4, 1960, 48-51.

"Cuba in Perspective", *Presbyterian Life,* Julio 15, 1961.

1962

"Witherspoon of Paisley and Princeton", *Theology Today,* Vol. XVIII, No. 4, 1962, 473-481.

1964

"Cuba Revisited", *The Christian Century,* Febrero 24, 1964.

1965

"Reappraisal Urged of U.S. Foreign Policy", *The New York Times*, Noviembre 8, 1965.

"A Letter to the President", *Presbyterian Outlook*, CXLVII, No. 3, Enero 18, 1965, 7.

"Latin America and Revolution", (I and II), *The Christian Century,* Noviembre 17 and 24, 1965, 1439-1443 and

"The Cleric of Clericalism", *Christianity Today,* Vo. VII, No 20, Julio 6, 1962, 42.

1966

"A Representative American of the Sixties: James Joseph Reeb, *Princeton Seminary Bulletin,* Vol. LX, No. 1, 1966, 33-38.

1971

"The Great Adventure", *Princeton Seminary Bulletin*, Vo. 64, (Julio, 1971), 31-38.

B. ARTICULOS SOBRE JUAN A. MACKAY
(Lista parcial y cronológicamente presentados)

1937
Speer, Robert E., "Charge to the President", *Princeton Seminary Bulletin,* Vo. XXXIm No. 1 (1937), 2-6.

1958
Harbison, Janet, "John Mackay of Princeton", *Presbyterian Life,* Vol. II, No. 19, 6-11 y 15-17,34.

Jurji, Edward J., ed. *The Ecumenical Era in Church and Society.* A symposium in honor of John A. Mackay, New York: Macmillan, 1959. Introduction by Hugh T. Kerr, Jr.

Henry Snyder Gehman, J.T. Galloway P.K. Emmons, M. Richard Shaull and D. L. Crawford, "John A. Mackay as President, Author, Churchman, Missionary statesman and Teacher and Pastor", Princeton Seminary Bulletin, Vo. 52, No. 4, Mayo 1959, 3-29.

1959
Paul H. Lehman, "Also among the prophets", *Theology Today,* Vo. LII, No. 4, 1959, 345.

1964
The Christian Century, "Mackay on Cuba", Vol. LXIII, No. 43 (1964), 1308.

James H. Smylie, "Mackay and McCarthyism, 1953-1954", A Journal of Church and State. Vo. VI, (1964), No. 3, 352-365.

1965
Lesslie Newbigin, *"Ecumenics: Science of the Church Universal".* Una evaluación del libro. *Princeton Seminary Bulletin,* Vo. LIX, No. 1 (1965), 60-61.

James H. Smyle, "Ecumenics: Science of the Church Universal". Una evaluación del libro. *Presbyterian Outlook,* Vo. CXLVII (1965) No. 28,15.

1966

Abel Clemente, "El concepto de la Iglesia en las obras de Juan A. Mackay", Disertación de maestría, New College, Edimburgo, Escocia.

1970

H. MacKennie Goodpasture, "The Latin American Soul of John A. Mackay, *Journal of Presbyterian History,* Vo. XXXXVIII, No. 4, (1970), 265-292.

1973

Luis Alberto Sánchez, "Juan A. Mackay y la Educación Peruana", *Leader,* Año XLVIII (1973), No. 46, 63-70.

1979

Pedro Cintrón, "The Concept of the Church in the Theology of John A. Mackay", Ann Arbor, Michigan, 1979, VII, 215. Microfilm, No. 369. Disertación doctoral, Drew University.

1985

Timothy J. West,"John Alexander Mackay and the Princeton Seminary Tradition", manuscrito inédito, 1985. Calvin College.

1989

Thomas W. Gillespie, "John Alexander Mackay: A Centennial Remembrance", *Princeton Seminary Bulletin,* Winter, 1989.

James H. Smylie, "John A. Mackay: 1889.1983", *The Presbyterian Outlook,* December 4-11, 1989, 9-10

Mario Olivers, "Juan A. Mackay y el movimiento ecuménico en America Latina", Seminario Bíblico Latinoamericano, 1989.

C. OTROS MATERIALES UTILIZADOS EN LA PREPARACION DE ESTE LIBRO
(por orden alfabético)

LIBROS

Browning, Webster, "The Romance of the Founding of Evangelical Missions in Latin America, manuscrito inédito 1932. Speer Library, Princeton Theological Seminary, Princeton, N. J.

Bruno Jofré,Rosa del Carmen, *Methodist Education In Perú Social Gospel, Politics and American Ideological and Economic Penetration,* 1888-1930. Waterloo, Ontario, Wilfrid Laurier University Press, 1988.

Crispin, John, *Oxford y Cambridge en Madrid:* La residencia de Estudiantes, 1910-1936 y su Entorno Cultural", Santander, La Isla de los Ratones, 1981. ISBN 84:7039-443-6. Véase también Margarita Saenz de la Calzada en *La Residencia de Estudiantes,* 1910-1936, Consejo Superior de Investigaciones Científicas, D. L. Madrid, 1986. ISBN 84-2-6-3238-4. También Semblanzas y Recuerdos De Alberto Jiménez Fraud, Madrid, Alianza, D. L., 1989 1ISBN 84.2.6.3238.4

Escobar, Samuel, "The Missionary Legacy of John A. Mackay": Ensayo en preparación para su publicación *The International Bulletin of Missionary Research,* 1990.

"Espejismos y Realidad en las Relaciones Interamericanas", una declaración de la Iglesia Presbiteriana Unida de E.U.A, Comisión sobre Misión y Relaciones Ecuménicas, Nueva York, 1969.

Ferré, Luis, *Unamuno, William James y Kierkegaard y Otros Ensayos,* Buenos Aires, Editorial La Aurora, 1967.

Herring, Hubert, A History of *Latin America*, New York, Alfred P. Knopf, 1960.

History of the Free Presbyterian Church of Scotland, (1893-1933). Compiled by a commitee of the Synod, 1965. Ross-shire Printing, Dingwall, Scotland.

Howard, George P. *Religious Liberty in Latin America?,* Philadelphia, Westminster Press, 1944. Foreward by John A. Mackay. También en español *¿Libertad Religiosa en America Latina?*

Hopkins C. Howard, *History of the YMCA in North America,* New York, Association Press, 1951.

Latourette, Kenneth Scott, *World Service: A History of the Foreign Work and World Service of the YMCA of the United Sates and Canada.* New York, Association Press, 1957.

Mackay, John (no es John A. Mackay), *The Church in the Highlands or the Progress of Evangelical Religion in Gaelic Scotland, 563-*1843, London, Hodder and Stoughton, 1914.

McKay, Girvan Christie, "The History of the Scots Presbyterian Church in the Argentine". Tesis no publicada, Facultad Evangélica de Teología, Buenos Aires, 1973.

Marsden, George "Understanding J. Greshman Machen, *Princeton Seminary Bulletin,* Vol. XI, No. 1, New Series, 1990, 46-60.

Marsden, George, "J. Greshman Machen, History and Truth" *Westminster Theological Journal,* 42, Fall, 1979, 157-175.

Michener, James, *IBERIA*, New York, Random House, 1968.

Narvarro Monzó, Julio, "Las Asociaciones Cristianas de Jóvenes y La Religión". Montevideo, Federación Sudamericana de las Asociaciones Cristianas de Jóvenes, 1923.

Noll, Mark A., ed., *The Princeton Theology* 1812-1921. Grand Rapids, Michigan, Baker Book House, 1983.

Pike, Frederick C., *The Politics of the Miraculous,* South Bend, Indiana, Notre Dame Press, 1986.

Rheinheimer Key, *Topo: Historia de la colonia escocesa en las cercanías de Caracas 1825-1827.* Asociación Cultural Humboldt, Caracas, 1986.

Rycroft, W. Stanley, *Memoirs of Life in Three Worlds,* Cranford, N.J.,J.B. Business Services, 1976.

Sinclair, John H., "W. Stanley Rycroft, Latin America Missiologist", *American Presbyterians,* Vo. 65, No. 2, Summer, 1987.

Zulueta, Carmen de, *Misioneras, Feministas, Educadoras:* Historia del Instituto Internacional, Madrid, Editorial Castália, 1984.

CORRESPONDENCIA

--Juan A. Mackay a José Carlos Mariátegui.

"Correspondencia: 1915-1930", Tomo I, Biblioteca Amauto, Lima, 1984, 102-524.

--Juan A. Mackay a John R. Mott: John R. Mott a Juan A., Mackay.

21-XII-33, 5-I-42; 27-XII-43; 1-V-46; 18-XI-46; 8-IV-47;

28-VII-50; 5-X-52. Day Mission Collection, Yale Divinity School, New Haven, CT.

--Juan A. Mackay a W. Stanley Rycroft(*)

10-III-32; 24-V-37; 1-III-74; 13-XI-75; 1-IV-76; 4-XI-76;

1-VII-77; 12-V-77; 4-VII-77.

--Juan A. Mackay a John H. Sinclair(*)

13-IX-73; 3-XII-76; 13-VII-73; 20-I-77; 4-VIII-78.

--Juan A. Mackay a Jesse R. Wilson.

19-XII-28. Correspondencia del Movimiento Estudiantil de Voluntarios, Day Mission Collection, # 43, Yale Divinity School, New Haven, CT.

John A. Mackay to Paul J. Braisted. 9-IX-38. Correspondencia del Movimiento Estudiantil de Voluntarios, Day Mission Collection, # 42, Yale Divinity School, New Haven CT.

--Juan A. Mackay a James N. Wright (*)

30-III-69; 27-VIII-69.

--Archives of the International Committee of the Y.M.C.A., University of Minnesota, St. Paul, Minnesota.

Se encuentra en estos archivos mucha de la correspondencia de Juan A. Mackay durante sus años en el servicio de la Asociación Cristiana de Jóvenes en Uruguay y México.

(*) Indica que esta correspondencia pertenece a los archivos del autor.

INDICE ALFABETICO

Este libro se terminó de imprimir
el 30 de junio de 1991, en los
Talleres de Jiménez Editores e
Impresores, S.A. de C.V., 2º Ca-
llejón de Lago Mayor no. 53 Col.
Anáhuac, México, D.F. se impri-
mieron 1,000 ejemplares más
sobrantes para reposición.